방탄리더사관학교
BULLETPROOF LEADER MILITARY ACADEMY

리더는 누구나 되지만
방탄 리더는 아무나 될 수 없다!

—— BLMA ——

만나서 반갑습니다!
좋은 일이 생길 거예요!

가슴이 설레는 만남이 아니어도 좋습니다.
가슴이 떨리는 운명적인
만남이 아니어도 좋습니다.
만남 자체가 소중하니까요!

최보규 방탄리더사관학교 창시자

방탄리더사관학교 소개

세상에는 4대 사관학교가 있다. 육군사관학교, 해군사관학교, 공군사관학교, 방탄리더사관학교가 있다. 육군사관학교, 해군사관학교, 공군사관학교는 체계적인 시스템 속에서 군인정신 학습, 연습, 훈련을 통해 정예 장교(군 리더, 군사 전문가)를 육성하는 사관학교다.

방탄리더사관학교는 체계적인 시스템 속에서 방탄 리더십 25가지 시스템 학습, 연습, 훈련을 통해 정예 리더(방탄 리더, 방탄 리더십 전문가)를 양성하는 사관학교다.

누구나 리더가 된다. 하지만 방탄 리더는 아무나 될 수 없다. 누구나 방탄 리더가 될 수 있었다면 난 절대로 방탄리더사관학교를 선택하지 않았을 것이다.

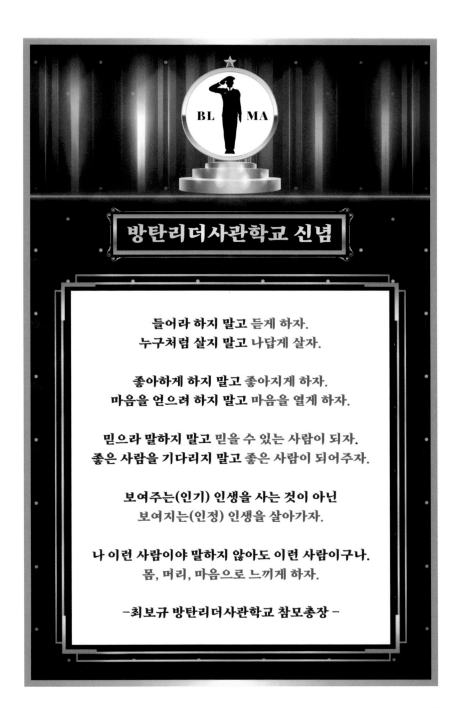

방탄리더사관학교 신념

들어라 하지 말고 듣게 하자.
누구처럼 살지 말고 나답게 살자.

좋아하게 하지 말고 좋아지게 하자.
마음을 얻으려 하지 말고 마음을 열게 하자.

믿으라 말하지 말고 믿을 수 있는 사람이 되자.
좋은 사람을 기다리지 말고 좋은 사람이 되어주자.

보여주는(인기) 인생을 사는 것이 아닌
보여지는(인정) 인생을 살아가자.

나 이런 사람이야 말하지 않아도 이런 사람이구나.
몸, 머리, 마음으로 느끼게 하자.

－최보규 방탄리더사관학교 참모총장 －

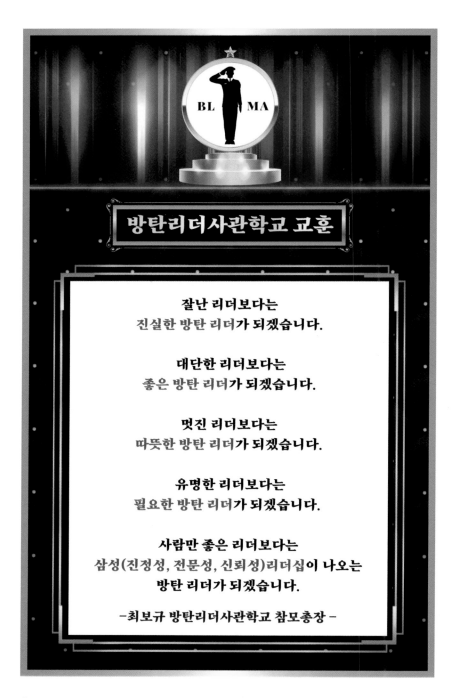

방탄리더사관학교 교훈

잘난 리더보다는
진실한 방탄 리더가 되겠습니다.

대단한 리더보다는
좋은 방탄 리더가 되겠습니다.

멋진 리더보다는
따뜻한 방탄 리더가 되겠습니다.

유명한 리더보다는
필요한 방탄 리더가 되겠습니다.

사람만 좋은 리더보다는
삼성(진정성, 전문성, 신뢰성)리더십이 나오는
방탄 리더가 되겠습니다.

-최보규 방탄리더사관학교 참모총장-

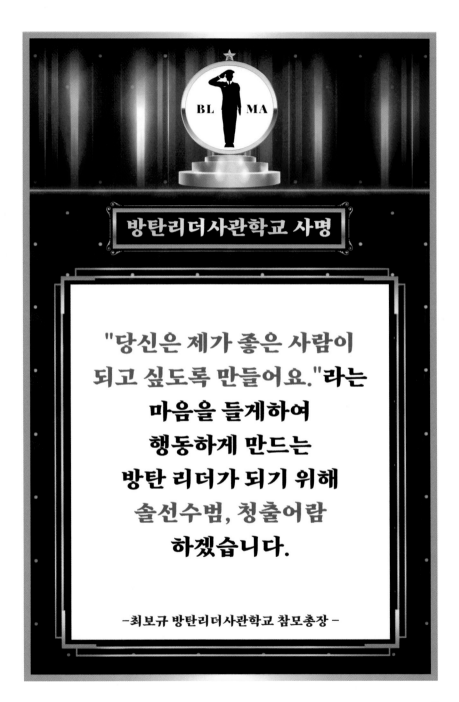

방탄리더사관학교 사명

"당신은 제가 좋은 사람이 되고 싶도록 만들어요."라는 마음을 들게하여 행동하게 만드는 방탄 리더가 되기 위해 솔선수범, 청출어람 하겠습니다.

-최보규 방탄리더사관학교 참모총장-

방탄리더사관학교

BULLETPROOF LEADER MILITARY ACADEMY

방탄 리더십과

리더 사명감과	리더 기본기과	리더 태도과
리더십 식스펙(PT)과	리더 감정컨트롤과	리더 인간관계과
리더 소통과	리더 스토리텔링과	리더 스피치과
리더십 은퇴 준비과	리더 천재일우과	리더 7대 의무교육과
리더 자존감과	리더 멘탈과	리더 습관과
리더 행복과	리더 자기계발, 동기부여과	리더 재테크과
리더 방탄book기술력과	리더 책 쓰기, 출간과	리더 유튜버과
리더 강사과	리더 코칭과	리더 인재양성과

★ 《방탄리더사관학교 1》 ★

Class 1. 방탄 리더십과

- 1명의 방탄 리더가 10만 명을 변화시키고 먹여 살린다. 리더는 사라져도 방탄 리더십은 1,000년 간다! 리더의 삼성(진정성, 전문성, 신뢰성)을 업그레이드!

Class 2. 리더 사명감과

- 사명감은 스펙이다. 학습, 연습, 훈련으로 만들어진다.

Class 3. 리더 기본기과

- 리더의 Body(몸) 기본기, Head(머리) 기본기, Mind(마음) 기본기. 기본기는 그림자와 같다. 평생 함께한다.

Class 4. 리더 태도과

- 세상에서 가장 강력한 태도 스펙! 태도 스펙 학습, 연습, 훈련!

Class 5. 리더십 식스펙(PT)과

- 숨만 쉬어도 근손실(근육 손실), 숨만 쉬어도 리손실(리더십 손실) 앞서가는 리더는 리더십PT를 받는다.

★ 《방탄리더사관학교 2》 ★

Class 6. 리더 감정컨트롤과

- 리더의 감정이 태도가 되면 안 된다. 감정컨트롤 학습, 연습, 훈련

Class 7. 리더 인간관계과

- 리더는 천재지변 인간관계가 아닌 천재일우 인간관계를 해야 한다.

Class 8. 리더 소통과

- 소통에 답이 있는가? 정답은 답이 아니다. 해결책도 답이 아니다. 공감만이 답이다. 공감력을 키우는 방탄소통.

Class 9. 리더 스토리텔링과

- 리더에 스토리텔링(Storytelling)으로 함께 하는 사람을 스토리두잉(Story Doing)하게 만들어야 한다.
스토리텔링을 통해 스토리두잉(Story Doing)을 하지 않으면 스토리는 다 쓰레기 된다!

Class 10. 리더 스피치과

- Body(몸) 스피치, Head(머리) 스피치, Mind(마음) 스피치 학습, 연습, 훈련하는 방법 381가지!

Class 11. 리더 은퇴 준비과

- 평균 희망 은퇴 73세, 현실 은퇴49세 이다. 20대 은퇴 예정자? 30대 은퇴 확정자? 40대 은퇴 위험군? 은퇴십 골든타임!

★《방탄리더사관학교 3》★

Class 12. 리더 천재일우과

- 천재일우(千載一遇): 천 년에 한 번 만난다는 뜻으로 좀처럼 만나기 어려운 기회

★《방탄리더사관학교 4》★

Class 13. 리더 7대 의무교육과

- 직원은 5대 법정의무교육이 필수이고 리더는 7대 의무교육이 필수이다.

Class 14. 리더 자존감과

- 스마트폰은 쓰지 않아도 배터리가 소모되듯 리더 자존감 배터리는 숨만 쉬어도 소모된다. 리더 자존감 초고속 충전!

Class 15. 리더 멘탈과

- 리더 멘탈 7단계! 리더 순두부 멘탈, 리더 실버 멘탈, 리더 골드 멘탈, 리더 에메랄드 멘탈, 리더 다이아몬드 멘탈, 리더 블루다이아몬드 멘탈, 리더 방탄 멘탈.

★ 《방탄리더사관학교 5》 ★

Class 16. 리더 습관과

- 리더십은 이벤트가 아니라 습관이다. 리더십 습관, 꼰대십 습관

Class 17. 리더 행복과

- 리더 행복 심폐소생술! 리더 행복 초등학생, 리더 행복 중학생, 리더 행복 고등학생, 리더 행복 전문 학사, 리더 행복 학사, 리더 행복 석사, 리더 행복 박사, 리더 행복 히어로

★ 《방탄리더사관학교 6》 ★

Class 18. 리더 자기계발, 동기부여과

- 리더는 노오력 자기계발, 동기부여가 아닌 올바른 노력 자기계발, 동기부여를 해야 한다.

Class 19. 리더 재테크과

- 리더의 7가지 재테크는 선택이 아닌 필수다.

★ 《방탄리더사관학교 7》 ★

Class 20. 리더 방탄book기술력과

- 수입 창출 6가지 시스템! 100세까지 지속적인 수입을 발생시키고 100세까지 현역을 유지시켜 준다.

Class 21. 리더 책 쓰기, 출간과

- 리더 자신 분야 삼성(진정성, 전문성, 신뢰성)을 올리

는 최고의 자기계발은 책 쓰기, 책 출간이다!

★《방탄리더사관학교 8》★

Class 22. 리더 유튜버과

- 리더는 유튜브가 아닌 나튜브를 해야 한다.

★《방탄리더사관학교 9》★

Class 23. 리더 강사과(무인 시스템)

- 리더는 프로 강사처럼 말(스피치), 표정, 행동이 나와야 한다.

★《방탄리더사관학교 10》★

Class 24. 리더 코칭과

- 리더 코칭 10계명(품위유지의무), 리더의 0순위 스펙은 코칭 능력이다.

Class 25. 리더 인재 양성과

- 인재는 오는 것이 아니라 만들어지는 것이다. 인재 양성 시스템이 없으면 인재는 리더를 떠나지만 인재양성 시스템이 있으면 인재는 리더와 100년을 함께 한다.

방탄리더사관학교
BULLETPROOF LEADER MILITARY ACADEMY

방탄리더사관학교
최보규 참모총장

지금처럼이 아닌 지금부터 살게 해주겠습니다.
때를 기다리는 사람이 아닌 때를 만들어가는
사람으로 변화시켜 주겠습니다.
세상에는 최보규 코칭전문가 보다
코칭을 잘 하는 사람 많습니다.
하지만 세상에서 최보규 코칭전문가 만큼
함께 하는 사람을
자립할 수 있을 때까지 케어해주는 사람은 없을 것입니다!

최보규 방탄리더사관학교 참모총장

최보규 대표

상담, 코칭, 강의, 컨설팅 문의
010-6578-8295

현] 방탄자기계발사관학교 창모총장
현] 강사야 대표강사
현] 자기계발아마존 CEO
현] 방탄book 출판사 대표
현] 방탄강사사관학교 코칭전문가
현] 사랑의전화 카운슬러
현] 방탄자기계발 유튜버
현] 최보규상(대한민국 노벨상)창서자

N 최보규

네이버 인물정보 등록 34만 명! (2016년 기준)
대한민국 1% 미만 "네이버 명예의 전당" 인물정보 등록!

전체   프로필   최근활동   도서

프로필   →

소속	방탄자기계발사관학교/방탄북 (BOOK)출판사(대표)
수상	2016년 제1회 세계를 빛낸 천 사상 대상
경력	방탄자기계발사관학교/방탄북 (BOOK)출판사 대표
	방탄자기계발사관학교 대표
	2012.05~2016.06 사랑의전화 전화상담 자원 봉사자
	2014.11 행복사관학교 대표
사이트	유튜브, 블로그, 네이버TV, 페이스북, 공식홈페 이지
작품 ★	도서 108건, 관련활동

17

자기계발서 150권, 전자책 250권 출간으로
삼성(진정성, 전문성, 신뢰성)이 검증된 전문가
Google 자기계발아마존
YouTube 방탄자기계발
NAVER 방탄자기계발사관학교
NAVER 최보규

종이책 150권, 전자책 250권
총 400권 무인 콘텐츠

24시간 무인 시스템

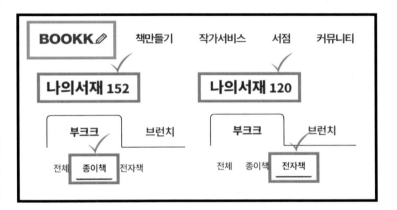

BOOKK 　 책만들기 　 작가서비스 　 서점 　 커뮤니티

나의서재 152 　 나의서재 120

부크크 　 브런치 　 　 부크크 　 브런치

전체 　 종이책 　 전자책 　 　 전체 　 종이책 　 전자책

 [최보규] 검색어 콘텐츠

이번 생에 건물주는 힘들어도
온라인 건물주는 가능하다!
400층 온라인 건물주를 가능하게 만든 시스템!

방탄book기술력

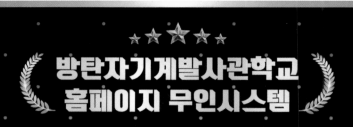

방탄자기계발사관학교 ✹

아무나 방탄자기계발전문가가 될 수 있었다면 난 절대로 방탄자기계발사관학교를 선택하지 않았을 것이다.

Google 자기계발아마존   ▶YouTube 방탄자기계발   NAVER 방탄자기계발사관학교   NAVER   최보규

방탄자기계발사관학교
홈페이지 무인시스템

방탄자기계발사관학교 소개
1,000,000원

구매하기

PPT로 책 쓰기, 책 출간
200,000원

구매하기

자신 분야 6가지 수입을 창출 방법
200,000원

구매하기

방탄 사랑 사랑 사용 설명서 사랑도 스펙이다
200,000원

구매하기

교육 실적

기업

삼성전자, 현대자동차, 한국전력공사, LG전자, 삼성생명보험, 포스코, GS칼텍스, SK네트웍스, 기아자동차, 현대중공업, 에쓰오일, SK에너지, 한국가스공사, LG디스플레이, GM대우, 교보생명, KT, SK텔레콤, 대한생명, LG화학, 롯데백화점, 신세계백화점, 삼성물산, 삼성화재해상보험, 오일뱅크, 대한항공, 삼성중공업, 현대모비스, 하이닉스반도체, 현대제철, 대우조선해양, 한진해운, 대우건설, GS건설, 현대건설, 한국수력원자력, 효성, LG상사, 현대상선, 현대해상화재보험, 대림산업, STX팬오션, LG순해보험, LG웰레콤, 동부화재, 여천NCC, SK건설, 삼성테스코, 삼성SDI, 삼성토탈, 현대하이스코, 한국남부발전, 동국제강, 아시아나항공, 롯데건설, 포스코건설, 한화, SK가스, ING생명, 위아, 삼성테크윈, 대우차판매, 쌍용자동차, 제일모직, 한국서부발전, 한국동서발전, 신한카드, 현대미포조선, 르노삼성자동차, 현대산업개발, GS리테일, 대우증권, 신한지주금융, 삼성전기, 현대삼호중공업, 우리투자증권, 비씨카드, 메리츠화재, 글로비스, 한화석유화학, 삼성카드, 현대증권, 로보토보쉬, 씨티클럽증권, 한독약품, 이마트, 제일기획, 리츠칼튼, 유엔텔, 삼선개발, CJ, 코오롱, 오리온, GS마켓, 종로학원, 김영사, 아토, 코엔텍, 휴스틸, 블루클럽, 한국콘베어, 디시페로 신진화학 등 2000여 대중소기업

SAMSUNG · HYUNDAI · LG · SK · KYOBO · GS · ING · posco · CJ · 금호아시아나

은행

KB국민은행, 우리은행, 신한은행, 산업은행, SC제일은행, 하나은행, 기업은행, 한국외환은행, 한국씨티은행, 농협, 수협, 축협 등

KB · 우리은행 · 수협은행 · KEB 외환은행 · Standard Chartered · NH농협 · 하나은행

관공서

금융감독원, 검찰청, 국세청, 경찰청, 법무부, 식약청, 보건복지부, 교육청, 서울시, 각 구청, 서울시, 수원시, 인천시, 안동시, 제주시, 안양시, 거제시, 상주시, 민방위교육장, 한국과학기술평가원, 보훈교육연구원, 각 지역 교육연수원, 한국교육개발원, 농업기술센터, 농업기반공사, 국립공원관리공단, 국립특수교육원, 건설교통인재개발원 한국증권업협회 등 200여개 기관

서울특별시 · Fly Incheon · 국세청 · 서울특별시교육청 · 보건복지부 · KISTEP 한국과학기술기획평가원

병원

서울대병원, 서울아산병원, 삼성서울병원, 연세대세브란스병원, 가톨릭대 서울성모병원, 아주대병원, 고려대안암병원, 한양대병원, 중앙대병원, 선한목자정형외과, 순천향병원, 보훈병원, 봄빛병원, 이다치과, 소리이비인후과, 영산의료법인 등

SNUH 서울대학교병원 · 서울아산병원 · SAMSUNG 삼성서울병원 · 세브란스병원 · 고려대학교안암병원 · 한양대학교의료원

대학교 특강 (교양, 최고경영자과정, 명사특강)

서울대, 연세대, 고려대, 중앙대, 한양대, 서강대, 포스텍, 카이스트, 경희대, 인하대, 이화여대, 조선대, 안동대, 건국대, 동아대, 충주대, 대전대, 청주대, 대진대, 한국산업기술대, 금오공과대, 아주대, 경기대, 숙명여대, 동국대, 순천대, 전남대, 영남대, 경가대, 강남대, 세종대, 카톨릭대, 한국해양대, 부경대, 창원대, 목포대, 광주여대, 한국해양대, 세명대, 충남대, 광운대, 울산대, 국민대, 제주대, 서울시립대, 단국대, 군산대, 경성대, 대구대, 동아방송대, 동의과학대, 백석대, 백석예술대, 폴리텍대, 인천대 등 150여개 대학교

고려대학교 · 서울대학교 · 연세대학교 · 이화여자대학교 · 단국대학교 · KAIST · 서강대학교 · 경희대학교

강의 사진

600명 자자자자멘습긍 강의
(자존감, 자신감, 자기관리, 자기계발, 멘탈, 습관, 긍정)

500명 자자자자멘습긍 강의
(자존감, 자신감, 자기관리, 자기계발, 멘탈, 습관, 긍정)

최보규 방탄강사 창시자

저는 입으로 강의하지 않겠습니다.
제 삶으로 강의하겠습니다.
저는 가르치지 않겠습니다.
제 삶으로 가르치겠습니다.
최보규강사는 명강사, 스타강사가 아닙니다!
그래서 한 달에 15권 책을 보고 메모하며
강의 준비, 솔선수범 하고 있습니다!
최보규강사 보다 강의 잘하는 사람은 많습니다!
다만 최보규강사 만큼 학습자를
사랑하는 강사는 세상에 없을 것입니다!

최보규 방탄동기부여 신조

들어라 하지 말고 듣게 하자.
누구처럼 살지 말고 나답게 살자.
좋아하게 하지 말고 좋아지게 하자.
마음을 얻으려 하지 말고 마음을 열게 하자.
믿으라 말하지 말고 믿을 수 있는 사람이 되자.
좋은 사람을 기다리지 말고 좋은 사람이 되어주자.
보여주는(인기) 인생을 사는 것이 아닌
보여지는(인정) 인생을 살아가자.
나 이런 사람이야 말하지 않아도
이런 사람이구나 몸, 머리, 마음으로 느끼게 하자.

경력은 실력이 아닙니다! 최보규 강사는 경력만으로 강의하지 않습니다!
책을 읽고 메모하며 책을 출간 했다고 강의 내공이 좋은 건 아닙니다!
하지만 책 2,032권, 메모 7,626개, 습관 320가지, 책 100권 출간 내공으로
강의하는 강사에 강의 내공은 단언컨대 "세계 최고"일 것입니다!

15년 2,032권 읽음

15년 7,626개 메모

자기계발서 100권 출간

45년 방탄 습관 320가지

최보규 강사 11계명

1. 학습자에게 섬김을 받으려는 강의가 아닌 학습자를 섬길 수 있는 강의를 하겠습니다.
2. 오늘이 마지막 날인 것처럼 강의하고 영원히 살 것처럼 학습자에게 배우겠습니다.
3. 강의 있는 전날에는 최상의 컨디션을 유지 하기 위해 건강관리, 목 관리, 자기관리 하겠습니다.
4. 강의장 1시간 전에 도착해서 강의 마음가짐 준비하겠습니다.
5. 강의장 가장 먼저 도착 강의 끝난 후 가장 늦게 나오겠습니다.
6. 내 삶이 강의고 강의가 내 삶이 되도록 행동하겠습니다.
7. 힘들게 배운 강의 노하우들 아낌없이 주겠습니다.
8. 어떻게 하면 학습자에게 즐거움? 행복? 메시지? 감동? 희망? 사랑?을 줄 것인가에 항상 생각하며 공부하겠습니다.
9. TV보다 책을 더 보겠습니다. 10. 공인이라는 마음으로 솔선수범하겠습니다.
11. 강사의 자존심 아침에 나올 때 신발장에 넣고 나오겠습니다.

방탄강사 백신

★ 잘난 강사가 되지 않고 진실한 강사가 되겠습니다!
잘난 강사는 피하고 싶어지지만 진실한 강사는
곁에 두고 싶어집니다!

★ 대단한 강사가 되지 않고 좋은 강사가 되겠습니다!
대단한 강사는 부담을 주지만 좋은 강사는
행복을 줍니다

★ 멋진 강사가 되지 않고 따뜻한 강사가 되겠습니다!
멋진 강사는 눈을 즐겁게 하지만 따뜻한 강사는
마음을 데워 줍니다.

★ 유명한 강사가 되지 않고 필요한 강사가 되겠습니다!
유명한 강사는 환상을 주지만 필요한 강사는
배움, 성장, 지혜를 줍니다.

목차

★《방탄리더사관학교 3》★

- 천재일우(千載一遇): 천 년에 한 번 만난다는 뜻으로 좀처럼 만나기 어려운 기회

★★★★★ 방탄리더사관학교 창시한 이유

방탄리더사관학교를 창시한 이유는 세종대왕님이 한글을 창시한 이유와 같다.

세종대왕님이 한글을 창시한 이유는 한 문장으로 말을 한다면 백성을 사랑해서다.

훈민정음 서문
우리나라의 말과 소리가 중국과 달라 한자와 서로 통하지 않는다. 그러므로 어리석은 백성들이 말하고 싶은 바가 있어도 그 뜻을 펴지 못하는 이가 많다. 내가 이를 불쌍히 여겨 새로 스물여덟 자를 만드노니 사람마다 쉽게 익혀 나날이 쓰기에 편하게 하고자 할 따름이니라.

최보규 방탄리더사관학교 참모총장이 방탄리더사관학교를 만든 이유를 한 문장으로 말을 한다면 "함께 하는 사람을 사랑하고 함께 잘 되고 잘 살자"라고 할 수 있다.

지금 3고(고물가, 고금리, 고환율) 시대, AI 시대, 챗GPT 시대, 숨만 쉬어도 200만 원 ~ 300만 원이 나가는 시대, 평균 희망 은퇴 73세, 현실 은퇴 나이 49세 시

37

대... 점점 더 힘들고 어려워지는 시대다. 지금 상황을 극복하기 위해서는 일반 리더십으로는 힘들다. 강력한 리더십이 필요하고 노오력 하는 리더가 아닌 올바른 노력을 하는 방탄 리더가 절실하게 필요한 시대다.

나쁜 개는 없다. 나쁜 견주만 있다. 견주십!
나쁜 자녀는 없다. 나쁜 부모만 있다. 부모십!
나쁜 직원은 없다. 나쁜 리더만 있다. 리더십!

모든 것은 리더십에서 시작된다는 것이다. 지금 시대는 위치가 사람을 만드는 경우보다 위치가 사람을 망치는 경우가 더 많다. 리더 위치에서 끊임없이 리더십 학습, 연습, 훈련하지 않으면 리더를 망치고 리더와 함께 하는 사람들까지 망쳐버린다. 그 무엇보다 리더십은 체계적으로 배워야 하는데 현실은 어떤가?

20,000명 심리 상담, 코칭 하면서 알게 된 것은 체계적인 시스템 없는 인스턴트 리더 책, 인스턴트 리더 교육으로 인해 건강한 리더십, 현명한 리더십이 아닌 늘 그때뿐인 인스턴트 리더십에 중독되어 리더들의 몸, 머리, 마음까지 썩고 있다는 것이다.

리더십의 본질을 알아야만 노오력이 아닌 올바른 노력

을 할 수 있다.

운동의 본질은 헬스, 운동의 기본기를 배우지 않는 사람이 좋은 헬스장으로 옮긴다고 헬스, 운동 습관이 만들어지는 것이 아니다.

직장의 본질은 월급 날짜만 기다리는 사람이 직장을 바꾼다고 일에 대한 의욕이 생기지 않는다.

사랑의 본질은 평상시에 사랑받을 행동을 안 하는 사람은 사랑하는 사람이 생겨도 사랑받을 수가 없다.

인간관계의 본질은 내가 좋은 사람이 되기 위해 학습, 연습, 훈련을 안 하면 좋은 사람이 생겨도 금방 떠나간다.

자기계발, 동기부여 본질은 "어제 보다 0.1% 나은 사람이 되자."라는 태도로 꾸준히 자기계발, 동기부여하지 않으면 시간, 돈 낭비를 한다.

리더십의 본질은 경력, 나이를 내세우면서 시대에 맞는 리더십으로 업데이트하지 않으면 리더십이 아닌 꼰대십(리더병)이 나온다. 꼰대십(리더병)이 생기면 "위치가 사람을 만드는 것이 아니라 위치가 사람을 망쳐버린다."

본질의 힘

본질을 모르면
시간, 돈, 인생 낭비가 되어
악순환이 반복된다.
본질을 어떻게 학습, 연습, 훈련할 것인가?

헬스, 운동의 본질

직장, 일의 본질

연애, 사랑의 본질

인간관계의 본질

자기계발, 동기부여의 본질

리더십의 본질

더 늦기 전에 방탄리더사관학교 25가지 리더십의 본질인 방탄 리더 인재 양성 시스템을 통해 강력한 리더십인 방탄 리더십으로 거듭나야 된다.

방탄 리더 1명이 10만 명을 먹여 살리고 변화 시킨다.
리더는 사라져도 방탄 리더십은 1,000년 간다.
세계 최초 방탄리더사관학교 25가지 시스템 시작한다!

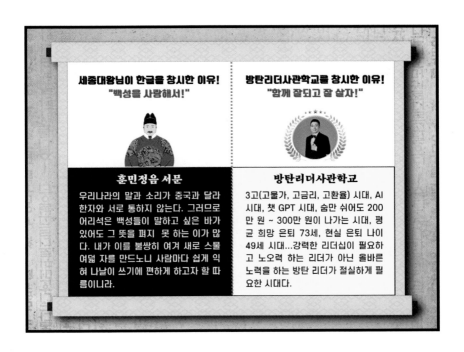

세종대왕님이 한글을 창시한 이유!
"백성을 사랑해서!"

방탄리더사관학교를 창시한 이유!
"함께 잘되고 잘 살자!"

훈민정음 서문
우리나라의 말과 소리가 중국과 달라 한자와 서로 통하지 않는다. 그러므로 어리석은 백성들이 말하고 싶은 바가 있어도 그 뜻을 펴지 못 하는 이가 많다. 내가 이를 불쌍히 여겨 새로 스물여덟 자를 만드노니 사람마다 쉽게 익혀 나날이 쓰기에 편하게 하고자 할 따름이니라.

방탄리더사관학교
3고(고물가, 고금리, 고환율) 시대, AI 시대, 챗 GPT 시대, 숨만 쉬어도 200만 원 ~ 300만 원이 나가는 시대, 평균 희망 은퇴 73세, 현실 은퇴 나이 49세 시대...강력한 리더십이 필요하고 노오력 하는 리더가 아닌 올바른 노력을 하는 방탄 리더가 절실하게 필요한 시대다.

Class 12. 리더 천재일우과

- 천재일우(千載一遇): 천 년에 한 번 만난다는 뜻으로
좀처럼 만나기 어려운 기회

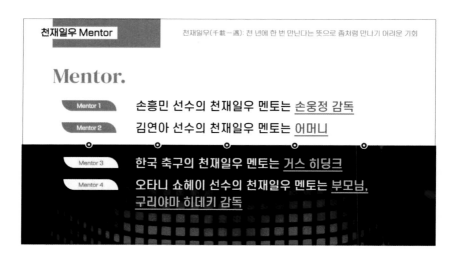

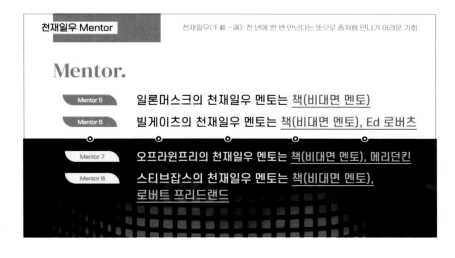

천재일우 Mentor 　　천재일우(千載一遇): 천 년에 한 번 만난다는 뜻으로 좀처럼 만나기 어려운 기회

Mentor.

Mentor 5 　일론머스크의 천재일우 멘토는 책(비대면 멘토)

Mentor 6 　빌게이츠의 천재일우 멘토는 책(비대면 멘토), Ed 로버츠

Mentor 7 　오프라윈프리의 천재일우 멘토는 책(비대면 멘토), 메리던킨

Mentor 8 　스티브잡스의 천재일우 멘토는 책(비대면 멘토),
　　　　　　로버트 프리드랜드

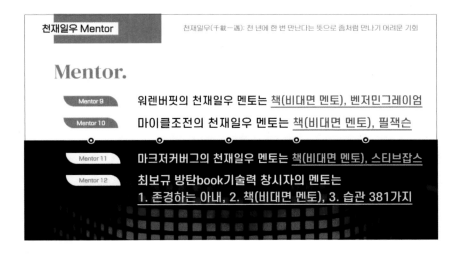

천재일우 Mentor 　　천재일우(千載一遇): 천 년에 한 번 만난다는 뜻으로 좀처럼 만나기 어려운 기회

Mentor.

Mentor 9 　워렌버핏의 천재일우 멘토는 책(비대면 멘토), 벤저민그레이엄

Mentor 10 　마이클조전의 천재일우 멘토는 책(비대면 멘토), 필잭슨

Mentor 11 　마크저커버그의 천재일우 멘토는 책(비대면 멘토), 스티브잡스

Mentor 12 　최보규 방탄book기술력 창시자의 멘토는
　　　　　　1. 존경하는 아내, 2. 책(비대면 멘토), 3. 습관 381가지

천재일우 Mentor가 있다고 무조건 결과를 만들어 내는 건 아니다.

하지만

결과를 만들어 내는 사람들 99%는 천재일우 Mentor가 있었다.

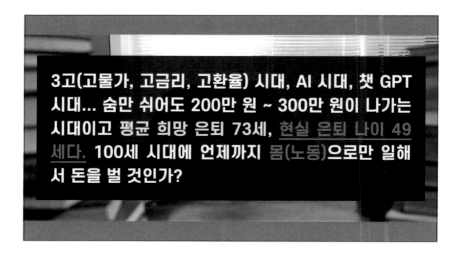

3고(고물가, 고금리, 고환율) 시대, AI 시대, 챗 GPT 시대... 숨만 쉬어도 200만 원 ~ 300만 원이 나가는 시대이고 평균 희망 은퇴 73세, 현실 은퇴 나이 49세다. 100세 시대에 언제까지 몸(노동)으로만 일해서 돈을 벌 것인가?

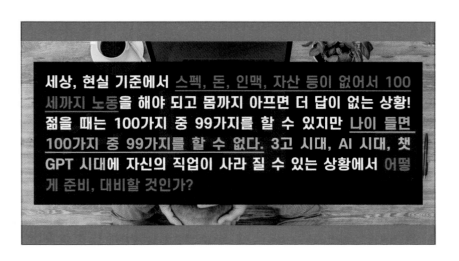

세상, 현실 기준에서 스펙, 돈, 인맥, 자산 등이 없어서 100세까지 노동을 해야 되고 몸까지 아프면 더 답이 없는 상황! 젊을 때는 100가지 중 99가지를 할 수 있지만 나이 들면 100가지 중 99가지를 할 수 없다. 3고 시대, AI 시대, 챗GPT 시대에 자신의 직업이 사라 질 수 있는 상황에서 어떻게 준비, 대비할 것인가?

지금 상황을 극복하기 위한 천재일우 멘토가 필요하다.

지금 당신에게 필요한
4가지 천재일우 멘토를 소개한다.

keyword.

0.MENTOR	1.MENTOR	2.MENTOR	3.MENTOR

지금 당신에 걱정, 고민을 해결해 줄 4가지 멘토!
지금 당신에 걱정, 고민을 해결해 줄 4가지 멘토는 선택이 아닌 필수!

0. Mentor

당신에게는 부크크출판사가 천재일우다!

스펙, 돈, 외모, 인맥, 실력... 아무것도 없는
사람에게 부크크출판사는 천재일우 멘토다!
평균 자비출판 한 권 출간 비용 300만 원 발
생하지만 **부크크출판사를 통하면 0원이다.**

1. Mentor

당신에게는 유페이퍼출판사가 천재일우다!

스펙, 돈, 외모, 인맥... 아무것도 없는 사람에게 유페이퍼출판사는 천재일우 멘토다!
자신 경력, 자신 분야 전문성을 활용하여 전자책을 0원으로 출간하여 24시간 수입 창출 무인 시스템을 만들 수 있다.

2. Mentor

당신에게는 망고보드가 천재일우다!

스펙, 돈, 외모, 인맥, 실력... 아무것도 없는 사람에게 망고보드는 천재일우 멘토다!
마우(마우스만 움직일 줄 아는 사람)실력이어도 망고보드 프로그램을 통해 전문가 수준급으로 돈을 벌게 하는 디자인 제작을 할 수 있다. 디지털 콘텐츠 시대에 디자인 스펙은 선택이 아닌 필수다.

3. Mentor

당신에게는 방탄book기술력은 천재일우다!

스펙, 돈, 외모, 인맥, 실력... 아무것도 없는 사람에게 방탄book
기술력은 천재일우 멘토다!
노벨상 받은 사람, 하버드 대학교 교수, 은퇴 전문가, 노후 전문가
들 1,000명이면 1,000명이 말하는 것이 최고의 은퇴 준비, 노
후 준비는 100세까지 현역을 하는 것이라고 한다.
방탄book기술력(수입 창출 6가지 시스템)은 100세까지 지속적
인 수입을 발생시키고 100세까지 현역을 유지시켜 준다.

20,000명 심리 상담, 코칭 하면서 알게 된 사람들이 바라는 시스템!
6가지 모두 가능하게 만드는 방탄book기술력!

커피숍에서 지인과
대화 중에도 돈이
입금되는 시스템?

자고 있는데
돈을 버는 시스템?

여행 중에도 돈이
입금되는 시스템?

사무실, 직원이
필요 없는 시스템?

건물주처럼
월세가
입금되는 시스템?

집에서 댕댕이와
휴식하고 있는데 돈이
입금되는 시스템?

★ 당신에게 부크크출판사가 왜! 천재일우인가? (무료 종이책, 전자책 출간)

"당신에게 부크크출판사가 왜! 천재일우인가?"라는 이유 설명을 하기 전에 필자가 어떻게 부크크출판사를 알게 되었는지 스토리텔링을 알면 자연스럽게 그 이유를 알게 된다. 먼저 알아야 할 것이 있다. 필자에게 방탄book 기술력 특강이 의뢰가 들어오면 상황에 따라 강사료를 절충해주지만 기본 방탄book기술력 특강 1시간 강사료가 200만 원이다. 이 책을 보고 있는 당신이 알아야 할 것은 지금 하는 스토리텔링이 200만 원 가치의 특강을 듣는 거와 같다는 것을 알아야 한다. 200만 원 가치 시작한다.

2018년 강사 직업을 10년 차 때이다. 전국을 돌아다니며 강의를 하면서 강사 양성 코칭까지 왕성하게 했다. 강사 직업을 떠나서 어떤 분야든 10년 경력이 있으면 전문가라고 말을 한다.

강사 일을 10년 하면서 내 강의 분야는 전문가라고 말은 하지만 표면적으로 증명 할 수 있는 것이 없었다. 업체에서 강의했던 경력, 강사 경력 외에는 표면적으로 전문가라고 증명할 수 있는 게 없었다. 강의 분야 석사, 박사 학위가 있다면 어느 정도 증명이 되지만 표면적으로 증명할 수 있는 게 없었다. 그래서 필자는 늘 이런 고민을 했다.

"강사 직업 10년, 강사 양성 코칭을 하고 있는데 표면적으로 증명 할 수 있는 것이 없다. 어떻게 내가 '강사 양성 코칭 전문가'라고 할 수 있을까? 이건 아니건 같은데..."라는 생각이 들었다. "대부분 강사들이 표면적으로 보여 줄 것이 없는데도 자신 분야 전문가라고 하는데 나도 대충 둘러대지 뭐! 남들 다하는데 뭐! 인생 뭐 있어 대충 하자! 강사료 더 받는 것도 아니고 대충 하지 뭐!"라는 얄팍한 태도로 강사 직업, 강사 양성 코칭 전문가를 하고 싶은 마음이 목까지 올라왔다. 하지만 강사 양성 코칭 전문가의 타이틀에 먹칠하고 싶지 않아서

"어떻게 하면 강사 10년 경력, 강사 양성 코칭 전문가 경력을 표면적으로 증명할 수 있는 것이 무엇일까?" 라는 태도로 알아보면서 독서를 꾸준히 했다.

어느날 페이스북 친구인 지인 강사 SNS에 '알고 지내는 사람이 책을 출간했다.'라고 하면서 공유를 한 것이다. 책 제목이 《강의를 책으로 바꾸는 기술》이었다. '강의를 책으로 출간할 수 있다고?' 순간 관심이 생겨 바로 종이책 주문을 해서 책을 2시간 안에 읽었다. 하지만 필자에게 연감을 주는 내용은 없었다. 시간이 흘러 《강의를 책으로 바꾸는 기술》 책 내용이 누적이 되어 도움이 되었다는 것을 뒤늦게 알았다.

여기서 잠깐! 천재일우 타임!
300만 리더, 프리랜서, 강사, PPT를 활용하는 모든 사람들이 기다리고 기다리던 기술력! 누군가는 PPT를 활용해서 경력만 쌓고 일만 한다. 일할 때 외에는 활용하지 않는다.

하지만 누군가는 PPT를 활용하여 책을 출간해서 제2수입, 제3수입을 올린다. 왜 가지고 있는 경력, 가지고 있는 PPT를 썩히고 있는가?

PPT를 활용해서 일하는
300만 명 리더, 프리랜서, 전문가들이 기다리던 소식!

누군가는 PPT를 활용해서 경력만 쌓고 일만 하며
일할 때 외에는 활용하지 않는다. 그래서 인생이 힘든 것이다!

누군가는 PPT를 활용하여 책을 출간해서
6가지 수입을 올린다.
왜 가지고 있는 경력, 가지고 있는 PPT를 썩히고 있는가?

20,000명 심리 상담, 코칭으로 알게 된 사람들이 바라는 시스템!

6가지 모두 가능하게 만드는 시스템이 있다?

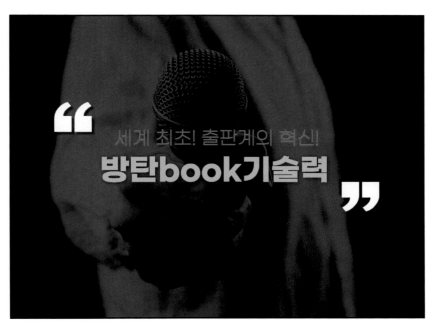

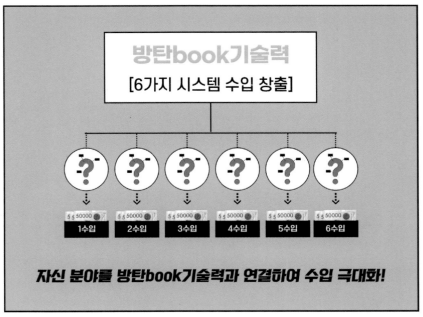

다시 돌아와서 그 뒤로 며칠이 지난 뒤 강사 양성 코칭을 하고 난 뒤 카페에서 책을 보고 있는데 10G 속도로 순간 머리에 이런 생각이 떠오르는 것이었다.

"강사 양성 코칭 할 때 만들어 놓은 강사양성시스템 교육, 코칭 PPT 자료 몇 천 장 만들어 놓은 것을 책으로 출간하면 되겠는데? Oh My God! Unbelievable! 왜 이 생각을 못 했을까? 책 2권은 나오겠는데? 이거다! 강사 양성 코칭 전문서적을 출간한다면 표면적으로 증명이 되고 강사 양성 코칭 가치가 올라간다. '학위 못지않게 인정을 해준다는 것을 이제야 알았다니' 우물 안 개구리였구나! '가지고 있는 것을 활용을 못했다니' 그래도 지금이라도 알게 돼서 다행이다. 그래 강사 분야 전문 서적 출간 시스템 작업 시작하자!"

"강사 분야 전문 서적을 출간해야겠다."라는 마음먹은 순간 당일부터 원고 작업을 시작하여 6개월에 걸쳐 2권 불량의 원고를 마무리하게 되었다. 책 한 권 원고 작업하는데 기본 3개월 ~ 6개월 걸리는데 필자는 PPT 자료가 몇 천 장 있었기에 2권 불량이 6개월에 가능했다.

여기부터 '당신에게 부크크출판사가 왜! 천재일우인가?' 이유가 직접적으로 나온다. 집중, 집중하길 바란다.

원고를 마무리하고 기획출판을 하기 위해서 출간 기획서를 만들어서 출판사마다 몇 백 개 메일을 보냈다. 예를 들어 100개 메일을 보냈다면 10%만 거절 메일이 오고 90%는 거절 메일도 오지 않았다. 긍정적으로 검토하고 메일 주겠다는 메일은 1~2개뿐이었다. 투고의 현실을 뼈저리게 알게 되었던 시간 이었다.

다음은 《PPT로 책 출간 1》 책에 나오는 투고가 무엇인지 디테일하게 알려주는 내용이다.

책 쓰기 5단계
원고 → 초고 → 퇴고 → 탈고 → 투고

원고는 책을 쓰기 위한 한글(HWP)원고 기본 규격 세팅 단계다.
초고는 초벌로 쓴 원고다.
퇴고는 원고를 고쳐 쓰는 단계다.
탈고는 원고를 마무리하는 단계다.
투고는 마무리 한 원고를 출간하기 위해 출판사에 보내는 단계다.

투고의 해석 "내 원고 한번 읽어 보고 대중적으로 인기가 있을 거 같거나 돈이 될 거 같으면 1,000만 원 ~

3,000만 원 투자해서 출간 해주세요." 라는 직설적인 의미가 있다.

이것을 로또 2등과 같다고 하는 기획출판이라고 한다. 그래서 아무나 기획출판을 하지 못한다. 필자의 대표적인 기획 출판의 책이 《나다운 방탄멘탈》이다. 300개가 넘는 출판사에 출판 기획서를 만들어서 보냈다. 거절 메일이 몇 개가 왔을 거 같은가? 누군가는 투고 스트레스 때문에 원형 탈모가 오고 소화불량, 우울증까지 걸린 사람도 있다. 당연한 것이다. 1,000만 원 ~ 3,000만 원 (책 한 권 작업하는 모든 비용인 인건비, 책 부수, 홍보비, 유통비, 물류비...)을 투자해 주는데 아무나 기획출판을 해주겠는가? 출판사에서는 리스크를 감수하고 기존에 경험과 가능성으로 기획출판을 하기 위해서 신중에 신중할 수밖에 없다. 하루 만에도 대형 출판사에 평균 투고 원고가 100개 이상이 온다고 한다.

그래서 대부분 책 출간하는 사람들이 자비출판, 대필 출판을 한다. 돈만 있으면 투고 스트레스 없이 책을 출간할 수 있기 때문이다. 그래서 시간의 여유가 없고 책 쓰기를 해보지 않은 사람들, 국회의원, CEO, 유명인사들 대부분이 대필 출판을 한다. 대필 출판이 불법, 이상한 것이 아니다. 머릿속에 있는 내용을 말로는 하기 쉬운데 글로 쓰고 정리하는 것이 힘들기에 대필 전문가에게 의뢰를 해서 책을 출간한다. 자비 출판은 자신이 써 놓은 원고가 있는 상태에서 100만 원 ~ 500만 원 들어가고 대필 출판은 원고가 없어도 가능하며 기본 400만 원 ~ 1,000만 원까지 들어간다. 대필 출판은 책 출간이 아니라는 말이 있다.

'책을 출간 한다.'기 보다는 '책을 산다.'라는 말이 더 가깝다. 그래서 원고를 직접 써본 사람과 안 써본 사람 차이는 하늘과 땅 차이이다.

《PPT로 책 출간 1》

투고(마무리 한 원고를 출간하기 위해 출판사에 보내는 단계)를 하면서 거절 메일(거절 메일이 안 오는 것도 거절이다)을 몇 백 개 받다 보면 이런 생각이 든다.

"《나다운 강사 1》,《나다운 강사 1》이런 책 시중에 없는데. 시중에 있는 강사 책 20권은 봤지만 내 책만큼 강사 직업 디테일한 내용을 본적이 없는데... 왜 몰라보는 거지? 어처구니가 없네... 아 진짜! 못해 먹겠네! 그럼에도 불구하고 몇 백 개 더 투고 메일 보내 볼까? 언제까지 안 되는지, 누가 이기는지 대한민국에 출판사에 다 보내봐? 아우! 지친다. 지쳐..."

투고 메일을 보내고 거절 메일을 몇 백 개 받다 보면 로또 2등고 같은 기획출판이 될 거라는 처음 자신감은 90%에서 30%로 떨어졌다. 자신감이 떨어졌을 때 순간 김광진 가수에 편지 노래 가사가 떠올랐다.

여기까지가 끝인가 보오 이제 나는 돌아서겠소 .
억지 노력으로 인연을 거슬러 괴롭히지는 않겠소.
하고 싶은 말 하려 했던 말 이대로 다 남겨 두고서.
혹시나 기대도 포기하려하오. 그대 부디 잘 지내시오.
기나긴 그대 침묵을 이별로 받아 두겠소.
행여 이맘 다칠까 근심은 접어두오.

이런 상황에서 "어떻게 하면 책을 출간 할 수 있을까?" 라는 태도로 알아보는 중 기획출판에 한 단계 아래인 공동기획출판이 눈에 들어왔다. 지금 생각해 보면 말이 공동기획출판이지 자비출판과 같은 것이었다. 자비출판은 원고가 있는 상태에서 평균 한 권 출간 비용 300만원 투자해서 책을 출간하는 방식이다. '그래 꿩 대신 닭이다.'라는 마음을 먹고 공동기획출판을 하게 되었다. 필자의 책 출간 스타트인 《나다운 강사 1》, 《나다운 강사 1》책 2권이 나오기까지 그때 당시 여자 친구였고 지금은 우주에서 가장 존경하는 아내의 내조가 없었다면 지금 종이책 150권 출간, 전자책 250권 출간 총 400권 출간을 할 수 없었을 것이다. 최보규 방탄book기술력 코칭 전문가의 모든 것들은 우주에서 가장 존경하는 아내가 없었으면 이룰 수 없었다. 다시 한 번 우주에서 가장 존경하는 아내에게 감사하다는 말을 전한다. 1,000년 동안 은혜 보답하기 위해 행동할 것이다. 다음 생에 다다음 생에 다다다음 생에도... 은혜를 갚을 것이다.

이제부터 '당신에게 부크크출판사가 왜! 천재일우인가?' 핵심이 나온다. 집중!

《나다운 강사 1》, 《나다운 강사 1》책 2권이 강사 분야 베스트셀러가 되고 3번째 책인《나다운 방탄멘탈》을 기획 출판하여 멘탈 분야 베스트셀러가 되었다. 4번째 책을 출간하면서 천재일우인 <부크크출판사>를 알게 되었다. 부크크출판사를 만 났기에 종이책 150권, 전자책 250권 총 400권 책을 출간할 수 있었다.
부크크출판사를 만나지 못했다면 종이책 150권, 전자책 250권 총 400권 책은 1,000년이 걸려도 출간하지 못했을 것이다.

'당신에게 부크크출판사가 왜! 천재일우인가?' 그 이유는 부크크출판사는 스펙, 돈, 외모, 인맥, 실력 등을 따지지 않는다는 것이다. 묻지도 따지지도 않는다는 것이다.
세상에 스펙, 돈, 외모, 인맥, 실력 따지지 않고 할 수 있는 것이 있는가? 있을 수 있지만 극히 드물고 주위에 찾아볼 수가 없을 것이다. 가장 중요한 것은 돈이 들어가지 않는다는 것이다. 기본적인 것만 하면 무료로 책을 출간할 수 있다는 것이다. 그래서 스펙, 돈, 외모, 인맥, 실력 없는 당신에게는 부크크출판사가 천재일우라고 말을 하는 것이다.

당연히 돈의 여유가 있어서 자비출판(1권 출간 비용 평균 300만 원), 대필출판(1권 출간 비용 평균 500만 원)으로 얼마든지 출간을 할 수 있다.

부크크출판사를 통해 한 권 출간 하면 2 ~ 3권 출간할 수 있는 수준이 생기고 2권 ~ 3권 출간하면 10권 출간할 수 있는 수준이 생기며 10권 출간하면 50권, 100권...을 출간할 수 있는 수준이 생긴다. 한 마디로 하나의 결과를 만들면 또 다른 것이 보이고 또 다른 연결 고리가 형성되는 것이다.

단순하게 책 1권 출간 목적이 얼마 되지 않는 인세(저작권료), 이름 석 자 남기는 성취감, 자신을 알고 있는 사람들에게 자랑하기 위해, 스펙 하나 올리기 위해, 자신 전문분야 인정받기 위해서 책 출간한다는 것도 좋다.

하지만 지금 3고(고물가, 고금리, 고환율) 시대, AI 시대, 챗 GPT 시대... 숨만 쉬어도 200만 원 ~ 300만 원이 나가는 시대다. 통계청에 의하면 평균 희망 은퇴 73세, 현실 은퇴 나이 49세, 한 분야 전문성으로 힘든 상황에서 책 1권 출간으로 만족하는 것이 아니라 자신 분야와 연결하여 6가지 수입 창출까지 할 수 있는 책 출간을 해야 한다.

책 1권 출간으로 6가지 수입 창출 까지 할 수 있는 것이 방탄book기술력이다.

세상, 현실 기준에 맞는 스펙 있는가?
세상, 현실 기준에 맞는 돈 있는가?
세상, 현실 기준에 맞는 외모 되는가?
세상, 현실 기준에 맞는 인맥 있는가?
세상, 현실 기준에 맞는 실력 있는가? 다 없다면 아무것도 묻지도 따지지도 않는 부크크출판사는 당신에게는 천재일우다.

천재일우 Mentor　　　천재일우(千載—遇): 천 년에 한 번 만난다는 뜻으로 좀처럼 만나기 어려운 기회

0. Mentor

당신에게는 부크크출판사가 천재일우다!

스펙, 돈, 외모, 인맥, 실력... 아무것도 없는 사람에게 부크크출판사는 천재일우 멘토다!
평균 자비출판 한 권 출간 비용 300만 원 발생하지만 **부크크출판사를 통하면 0원이다.**

★ 자비출판이 1권 평균 300만 원 발생한다. 누군가는 100권 출간하는데 300,000,000원이 들어가고 누군가는 100권 출간하는데 0원이 들어간다.

필자가 방탄book기술력을 통해 부크크출판사(종이책, 전자책), 유페이퍼(전자책)에서 3년 동안 종이책 150권, 전자책 250권 총 400권을 등록하고 출간할 수 있었던 부크크출판사의 등록 매뉴얼을 시작하겠다.

시중에 출판사 90%가 책을 대량으로 생산한 후 재고를 판다. 그래서 자비출판이 기본 300만 원부터 시작을 하는 이유다. 부크크출판사(자가출판)는 출판 비용이 0원인 이유가 POD(책을 미리 생산하지 않고 주문이 들어오면 필요한 수량만 생산 시스템) 시스템이여서 가능하다.

종이책 등록 매뉴얼, 출판사 등록 매뉴얼을 배우기 위해서는 가장 먼저 등록할 출판사의 운영 방식을 알아야 된다. 다음은 부크크출판사(자가출판)의 운영 방식내용이다.

POD, 자가출판 플랫폼 "부크크(BOOKK)"
대량으로 책을 생산한 후 재고를 판매하는 방식으로 운

영되던 출판 산업에 새로운 변화를 가져온 출판 플랫폼 '부크크'

책을 먼저 생산하고 고객에게 주문을 받아서 판매하던 방식을 고객이 주문한 다음 수량에 맞게 생산해서 판매하는 방식 필요한 만큼의 책 제작이 가능해져, 재고 부담과 보관비용이 사라졌습니다. 출판 비용도 '0'원이 되었습니다.

이로써 세상에 알려지지 않았던 소중한 이야기들이 한 권의 책으로 탄생할 수 있게 되었습니다.

그렇게 10년이 흐른 지금 출간 도서 31,618종, 출간 저자 28,867명 이야기들이 ISBN 발급받은 한 권의 책이 되어 다양한 독자들에게 전해지고 있습니다.

원고와 표지 디자인만 있다면 부크크에서 출판이 가능합니다! 대부분의 경우 논스톱 출판이 가능하지만, 특별한 경우에는 반려되기도 해요. 반려 사유 수정 후 다시 제출해 주시면, 재심사를 도와드립니다. 교정&교열, 표지 디자인이 필요하시다면 작가 서비스에서 구매도 가능합니다. 주문 제작 방식으로 출판 과정에서 발생되는 비용&재고 '0'원(최소 주문 1권)

부크크는 책 제작이 아닌 책 주문 후 정산해 드리는 방식이기 때문에 출간 비용이 없습니다.

부크크 내 사이트 판매 기준: 인세 컬러 15%, 흑백 35%, 전자책 70%. 부크크에서 제작한 책은 대형 유통사에서 판매하실 수 있습니다. 부크크와 인세가 다릅니다. 흑백 15%, 컬러 10% 전자책은 부크크에서만 판매가 가능합니다.

온라인 유통망 확보(교보, 예스24 ,알라딘, 카카오 브런치 스토리, 북센 등)

10년이 넘는 시간 동안 부크크는 작가 분들께서 더 쉽고 편하게 책을 만들 수 있는 방법을 찾기 위해 고민하고, 다양한 시도를 해왔습니다.

그 결과 현재의 5단계 원스톱 출판 서비스가 제공되고 있습니다. 서비스는 아래와 같은 순서로 구성되어 있으며, 전자책의 경우 '도서 형태' 카테고리를 제외한 4단계로 구성되어 있습니다.

도서 형태(종이책) → 원고 등록 → 표지 디자인 → 가격 정책 → 최종 확인

<부크크(bookk)출판사>

누구나 노오력은 한다. 그래서 노력이 배신하는 시대가 되어 버렸다. 노오력만 하니 시간, 돈 낭비가 되어 결과도 나오지 않는다. 올바른 노력을 해야만 시간, 돈 낭비를 최소의 비용으로 최대의 효과를 내어 큰 결과물을 만들어 낼 수 있다.

이제는 올바른 노력을 알려주는 방탄book기술력을 활용

한 책 출간, 출판사 등록 매뉴얼을 통해 자신 분야와 6가지 수입을 연결시켜 월세, 연금성 수입이 나오는 무인 시스템을 만들자. 종이책 150권, 전자책 250권 총 400권 출간한 비밀을 모두 오픈한다. 기대해도 좋다. 책 출간, 출판사 등록 매뉴얼 시작한다.

★ 책 출간 5단계 매뉴얼, 출판사 등록 5단계 매뉴얼.

네이버에서 부크크를 검색하면 홈페이지가 나온다. 홈페이지에 들어가서 회원가입을 하고 메인 화면에 책 만들기를 클릭하면 5단계로 쉽게 종이책 만들기가 나온다. 클릭해서 들어가면 책 출간 1단계로 진입한다.

도서형태 원고등록 표지디자인 가격정책 최종확인

도서 컬러를 선택해주세요!

흑백
(표지-컬러, 내시-흑백)

컬러 ①
(표지-컬러, 내시-컬러)

책 규격을 선택해주세요!

46판
46판
127 * 188 mm
일반도서 시, 에세

A5 ②
A5
148 * 210 mm
일반도서 소설, 에세이

B5
B5
182 * 257 mm
문제지, 잡지

A4
A4
210 * 297 mm
문제지, 잡지

표지 재질을 선택해주세요!

아르떼(감성적인)
아르떼 210g, 무광 코팅

스노우(대중적인)
스노우 250g, 무광코팅

스노우(광택있는) ③
스노우 250g, 유광코팅

책 날개를 선택해주세요!

④
날개 있음

날개 없음

> 무료표시는 책날개를 지원하지 않습니다.
> 하드커버(양장)제본은 500페이지(250장)부터 제작이 가능합니다.
> A4사이즈에서는 날개를 사용할 수 없습니다.

제본 **무선 제본**
색상 **표지** 컬러 **내지** 컬러
규격 **A5** 148 * 210 mm

표지 **스노우(광택있는)**
스노우 250g, 유광코팅
내지 **백색모조지 100g**

장수 **354** ⑤ P
면수
날개 **있음**
두께 **21.07** mm
면지 ● 백회색 앞뒤 1장

예상판매가격 **34,700** 원

🚚 예상수익 **347,000** 원
100부 판매시

저자 본인가 **29,495** 원

소장용가격 **48,580** 원

🚚 ★ 종이샘플 요청

☁ 원고서식 받기

《300만원 동기부여 강의》등록 매뉴얼

◀ 임시서재 Step2 원고등록 ⑥ ▶

① 책표지. 책 표지는 컬러만 있고 책 내지는 흑백, 컬러로 할 것인가 선택한다. 컬러로 하면 2배 정도 책값이 올라간다고 보면 된다.《300만원 동기부여 강의》책은 컬러로 선택을 했다. 이유는 이미지가 많고 일반 책들이 흑백으로 하는 경우가 많아서 차별화를 두기 위해 컬러로 했다. PPT로 책을 출간한다면 컬러로 해야 한다. 이미지가 많은 것도 있지만 SNS 시대에 대중들의 시선이 화려한 영상, 사진에 노출이 많아져서 보는 수준이 높아졌다. 책이 흑백이라면 대중들이 어떻게 보겠는가? 시대에 맞게 컬러풀하게 가야 한다.
글만 있다면 흑백으로 하면 된다. 이미지가 있다면 책 내지를 컬러로 하는 게 좋다.

② 책 규격. A5 책 규격이다. 148*210mm 일반도서, 소설, 에세이

③ 표지 재질. 표지 컬러다. 스노우(광택있는) 스노우 250g, 유광코팅) 종이 샘플을 요청해서 확인할 수도 있다. 별표가 있는 곳 종이 샘플 요청 클릭하고 받을 주소 입력하면 무료로 받아 볼 수 있다.
필자는 150권 출간하면서 80%는 스노우(광택있는)를

선택했다.

④ 책날개. 책날개가 있는 책과 날개가 없는 책 차이점은 이미지를 보고 판단하길 바란다.

날개가 없다고 책의 가치가 떨어지는 건 아니다. 날개가 있다고 책의 가치가 올라가는 것 또한 아니다. 하지만 이런 말이 있다. "신은 사람의 마음을 보지만 사람은 겉모습을 본다."라는 말처럼 날개가 없는 책과 날개가 있는 책을 보는 사람들에게 선택받을 확률은 100명이면 100명이 날개가 있는 책을 선택한다는 것이다.

당연히 표지가 아무리 좋아도 책 내용이 좋아야 선택하겠지만 하루만 해도 사람들은 스마트폰으로 대중매체, 유튜브, sns... 등에서 수천 개의 화려한 영상, 이미지를 본다. 이런 환경에서 자신 책이 선택받기 위해서는 사람들의 환경, 문화, 심리, 트렌드에 맞게 화려하게 만들어야 한다. 화려하게 해도 선택받을까, 말까이다.

선택은 자신이 하는 것이지만 20,000명 심리 상담, 코칭 하면서 알게 된 것은 책날개를 만들지 않고 책을 출간 했다가 후회해서 다시 책날개를 만들었다는 것을 참고해라.

책 날개 유, 무 차이점 비교

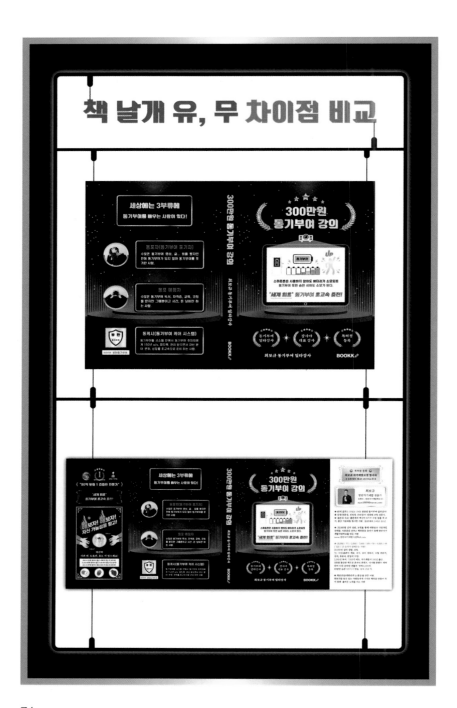

A A 도서형태	원고등록	표지디자인	가격정책	abc 최종확인	

도서 컬러를 선택해주세요!

흑백
(표지-컬러, 내지-흑백)

① 컬러
(표지-컬러, 내지-컬러)

책 규격을 선택해주세요!

46판

② A5

B5

A4

46판
127 * 188 mm
일반도서 - 시, 에세

A5
148 * 210 mm
일반도서 - 소설, 에세이

B5
182 * 257 mm
문제지, 잡지

A4
210 * 297 mm
문제지, 잡지

표지 재질을 선택해주세요!

아르떼(감성적인)
아르떼 210g, 무광코팅

스노우(대중적인)
스노우 250g, 무광코팅

③ 스노우(광택있는)
스노우 250g, 유광코팅

책 날개를 선택해주세요!

④ 날개 있음

날개 없음

> 무료표시는 책날개를 지원하지 않습니다.
> 하드커버(양장)는 300쪽 이상부터 제작 가능합니다.
> A4사이즈에서는 날개를 사용할 수 없습니다.

제본	무선 제본
색상	**표지** 컬러 **내지** 컬러
규격	**A5** 148 * 210 mm
표지	**스노우(광택있는)** 스노우 250g, 유광코팅
내지	**백색모조지 100g**
장수 연수	**354 ⑤** P
날개	**있음**
두께	**21.07** mm
면지	⬤ 백회색 앞뒤 1장

예상판매가격	**34,700** 원
🪙 예상수익 100부 판매시	**347,000** 원
저자 본인가	**29,495** 원
소장용가격	**48,580** 원

🚚 ⭐ **종이샘플 요청**

☁ **원고서식 받기**

《300만원 동기부여 강의》등록 매뉴얼

◀ 임시서재

Step2 원고등록 ⑥ ▶

⑤ 페이지 수. 장수, 페이지 수다. 페이지 수에 따라 책 값이 정해진다. 부크크출판사에서는 50페이지 이하는 출간이 안되는 점을 참고하자. 평균 책 페이지는 250쪽 이다.

방탄book기술력 코칭을 하다 보면 이런 질문을 하는 사람이 있다.

"100페이지로 만들면 책값이 낮아져서 대중들이 더 쉽게 책을 사지 않을까요? 박리다매(薄利多賣: 물건을 평균보다 싼 가격에 많이 팔아 이득을 극대화하는 판매 전략) 전략으로 하면 좋지 않나요?"

한번 생각해 보자. 시중에 있는 책 평균 250페이지, 한 권 가격 15,000원이다. 예를 들어 100페이지, 책 가격을 5,000원으로 한다고 했을 때 사람들이 싼 책을 보는 것이 아니다. 사람의 심리는 평균에서 많이 내려가면 가치, 질이 안 좋다고 판단한다. 가장 중요한 것은 책을 보는 사람들 수준이 높다는 것이다. 책을 보는 사람보다 책을 안 보는 사람들이 몇 배로 많지만 책을 보는 사람들은 수준이 높아서 저렴한 책보다는 돈을 지불하더라도 평균보다 수준 높은 책을 원한다는 것이다.

책을 안 보는 사람을 위해 책을 쓰는 것이 아니다. 책을 좋아하는 사람들을 대상으로 책 출간을 하는 것이다. 그래서 책을 쓸 때 수준 높은 책을 써야 되고 표지만 보더라도 "수준이 높겠다." "늘 책들이 비슷비슷해서 지겨웠는데 이 책은 다르겠는데."라는 책을 만들어야 한다. 표지만 보더라도 책값에 값어치를 할 거 같은지 못할 거 같은 지가 나온다. 책 표지에 대한 세부적인 내용은 뒤에 책 표지 등록 때 나올 것이다.

⑥ 다음 페이지. 원고 등록으로 페이지로 넘어간다. 원고 등록 페이지가 실질적인 책 등록 시작이다.

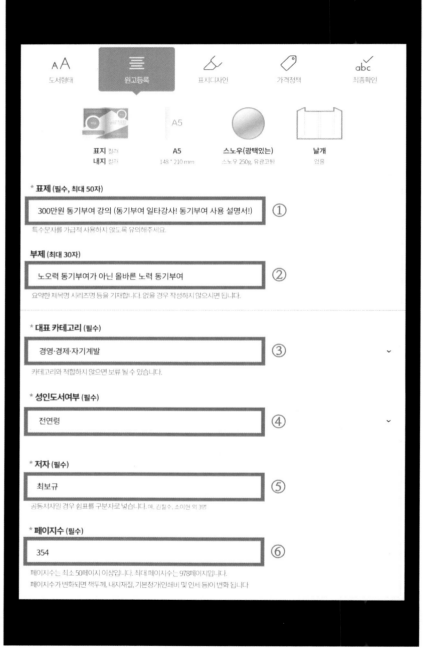

AA
도서형태

☰
원고등록

✎
표지디자인

🏷
가격정책

abc
최종확인

표지 컬러
내지 컬러

A5

A5
148 * 210 mm

스노우(광택있는)
스노우 250g, 유광코팅

날개
있음

* **표제 (필수, 최대 50자)**

300만원 동기부여 강의 (동기부여 일타강사! 동기부여 사용 설명서!)   ①

특수문자를 가급적 사용하지 않도록 유의해주세요.

부제 (최대 30자)

노오력 동기부여가 아닌 올바른 노력 동기부여   ②

요약한 제복명 시리즈명 등을 기재합니다. 없을 경우 작성하지 않으시면 됩니다.

* **대표 카테고리 (필수)**

경영·경제·자기계발   ③

카테고리와 적합하지 않으면 보류 될 수 있습니다.

* **성인도서여부 (필수)**

전연령   ④

* **저자 (필수)**

최보규   ⑤

공동저자일 경우 쉼표를 구분자로 넣습니다. 예. 김철수, 소이현 외 3명

* **페이지수 (필수)**

354   ⑥

페이지수는 최소 50페이지 이상입니다. 최대 페이지수는 978페이지입니다.
페이지수가 변화되면 책두께, 내지재질, 기본정가인쇄비 및 인세 등이 변화 됩니다.

① 표제(책 제목). 책 제목을 책 내용에 맞게 만드는 것도 중요하지만 더 중요한 것은 자신 책 분야가 시중에 나와 있는 책 제목과 차별화가 느껴지게 책 제목을 만들어야만 선택받을 확률이 높아진다는 것이다. 그래서 자신 책 제목을 만들기 전에 시중에 있는 서점에 들어가서 자신 분야를 검색을 해보고 전체적으로 어떤 제목들이 많으며 베스트셀러 책 제목들은 어떤 제목을 쓰는지 확인하는 것은 책 제목 짓는데 기본이다.

자녀가 태어날 때 이름을 대충 짓는가? 인기 있는 이름들을 쓰는 경우도 있지만 100년 인생을 이름처럼 살아가라고 신중하게 짓는다. 책도 마찬가지다. 인생을 살아가다가 이름을 개명하듯이 책 이름도 바꿀 수 있지만 처음부터 제대로 지어야만 책의 가치가 더해지는 것이다. 필자의 책을 예로 들겠다. 출간한 책 제목인 《300만 원 동기부여 강의》를 《동기부여 강의》로 만들었다면? 뻔하고, 식상한 책이라는 선입견이 생겨버려서 읽을 마음이 들지 않을 것이다. 기존에 동기부여 책과 다른 "이건 뭐지? 이런 책 처음 보는데?"라는 마음이 들어야 한다. 다만 제목이 튀지 않아도 표지를 럭셔리하게 만든다면 관심을 가질 수도 있다. 다음으로 나오는 이미지를 보면서 책 제목의 중요성을 참고하자.

책 제목 비교, 차이점1

예시

출간한 책

NAVER 300만원동기부여강의

책 제목 비교, 차이점2

예시

출간한 책

NAVER 1조리더십강의

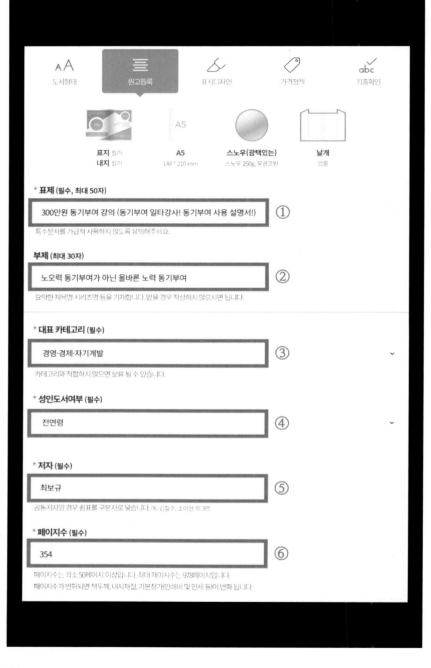

AA
도서형태

≡
원고등록

✎
표지디자인

🏷
가격정책

abᵥc
최종확인

표지 컬러
내지 컬러

A5
148 * 210 mm

스노우(광택있는)
스노우 250g, 유광코팅

날개
있음

* 표제 (필수, 최대 50자)

300만원 동기부여 강의 (동기부여 일타강사! 동기부여 사용 설명서!) ①

특수문자를 가급적 사용하지 않도록 유의해주세요.

부제 (최대 30자)

노오력 동기부여가 아닌 올바른 노력 동기부여 ②

요약한 제목명 시리즈명 등을 기재합니다. 없을 경우 작성하지 않으시면 됩니다.

* 대표 카테고리 (필수)

경영·경제·자기계발 ③

카테고리와 적합하지 않으면 보류 될 수 있습니다.

* 성인도서여부 (필수)

전연령 ④

* 저자 (필수)

최보규 ⑤

공동저자일 경우 쉼표를 구분자로 넣습니다. 예, 김길수, 소이현 외 3명

* 페이지수 (필수)

354 ⑥

페이지수는 최소 50페이지 이상입니다. 최대 페이지수는 978페이지입니다.
페이지수가 변화되면 책두께, 내지재질, 기본정가인쇄비 및 인세 등이 변화 됩니다

② 부제목. 요약한 제목명, 시리즈명 등을 기재한다. 없을 경우 작성하지 않아도 된다.

③ 대표 카테고리. 책 분야를 선택하는 곳이다. 자신 책 분야에 맞게 선택하면 된다. 강사라면 대부분 교육이기 때문에 경영, 경제, 자기계발을 선택하면 된다.

④ 성인도서 여부. 성인, 전 연령 둘 중에 하나 선택하면 된다.

⑤ 저자. 이름을 입력하면 된다. 공동저자일 경우는 쉼표로 구분해서 넣으며 된다. (예: 최보규, 최영웅 외 3명)

⑥페이지 수. 원고 총 페이지 수를 입력하면 된다. 페이지 수는 최소 50페이지 이상이어야 하고 최대 페이지 수는 978페이지다. 페이지 수에 따라서 책 두께, 내지 재질, 기본 정가(인쇄비 및 인세 등)가 정해진다.

\#. 시중에 나와 있는 책 평균 가격 15,000원 / 책 페이지는 250페이지다. 페이지가 많으면 1권, 2권으로 쪼개서 출간하면 된다. (예: 400페이지라면 1권 200, 2권 200)

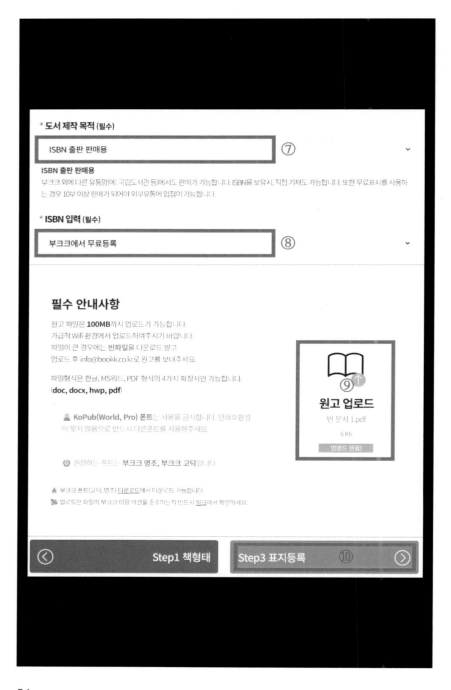

* 도서 제작 목적 (필수)

ISBN 출판 판매용 ⑦

ISBN 출판 판매용
부크크 외에 다른 유통망(예: 국립도서관 등)에서도 판매가 가능합니다. ISBN을 보유시, 직접 기재도 가능합니다. 또한 무료표시를 사용하는 경우 10부 이상 판매가 되어야 외부유통에 입점이 가능합니다.

* ISBN 입력 (필수)

부크크에서 무료등록 ⑧

필수 안내사항

원고 파일은 **100MB**까지 업로드가 가능합니다.
가급적 Wifi 환경에서 업로드하여주시기 바랍니다.
파일이 큰 경우에는 빈파일을 다운로드 받고
업로드 후 info@bookk.co.kr로 원고를 보내주세요.

파일형식은 한글, MS워드, PDF 형식의 4가지 확장자만 가능합니다.
(doc, docx, hwp, pdf)

🔒 **KoPub(World, Pro) 폰트**는 사용을 금지합니다. 인쇄호환성
이 맞지 않음으로 반드시 다른폰트를 사용해주세요.

◎ 권장하는 폰트는 **부크크 명조, 부크크 고딕**입니다.

⬇ 부크크 폰트(고딕, 명조) 다운로드에서 다운로드 가능합니다.
📋 업로드한 파일이 부크크 이용 약관을 준수하는지 반드시 링크에서 확인하세요.

원고 업로드 ⑨
빈 문서 1.pdf
6 Kb
업로드 완료!

Step1 책형태   Step3 표지등록 ⑩

⑦ 도서 제작 목적.

ISBN 출판 판매용, 일반 판매용, 소장용 3가지가 있다.

ISBN 출판 판매용은 부크크 외에 다른 유통망(예:국립 도서광 등)에서도 판매가 가능하고 ISBN을 보유시, 직접 기재도 가능하며 무료표지를 사용하는 경우 10부 이상 판매가 되어야 외부 유통이 가능하다. ISBN을 단순하게 말을 하면 책의 주민등록번호라고 생각하면 된다. ISBN 번호가 있어야만 책을 판매하여 수입 창출 할 수 있는 조건이 주어진다.

일반 판매용은 외부 유통은 하지 않고 부크크 자체에서만 판매한다는 뜻이다.

소장용은 외부 유통은 하지 않고 부크크 자체에서도 판매하지 않는다는 뜻이며 '소장용' 말 그대로 자신만 본다는 뜻이다. 소장용으로 책을 출간하는 사람들은 자신 만족이나 가족, 소중한 사람들에게만 주기 위해서 만든다. 책 쓰기를 연습하기 위해서 소장용으로 만든 후에 다듬어서 다시 등록 후 심사, 승인받아서 외부 유통해서 수입을 창출하는 사람도 있다.

⑧ ISBN 입력. 부크크에서 무료 등록을 해 준다.

⑨ 원고 업로드. 원고 파일은 100MB까지 업로드가 가능하다. 파일이 큰 경우에는 빈 파일을 다운로드 받아서 업로드 후 info@bookk.co.kr로 원고를 보내면 된다.

이미지가 많은 원고는 100MB가 넘는 경우가 많다. 그래서 원고 업로드에 빈파일 hwp, 빈파일 pdf를 업로드하고 난 뒤에 부크크 메일로 원고 파일을 보내면 된다. 빈 파일 다운로드는 이미지에서 보면 빈 파일 글씨만 파란색이다. 빈 파일을 클릭하면 빈 파일을 다운로드가 된다. (hwp 빈 파일, pdf 빈 파일 2중에 하나) 다운로드 받은 파일을 원고 업로드 칸에 업로드하면 된다.

파일 형식은 한글, MS 워드, PDF 형식의 4가지 확장자만 가능하다. (doc, docx, hwp, pdf)
한글(hwp)에서 작업한 원고는 pdf파일로 변환해서 부크크출판사 메일로 보내면 된다.

⑩ 표지 등록 페이지 이동. 3단계 표지 등록 페이지로 넘어간다.

▶ 빈 파일 클릭 → 다운로드 된 한글 빈 파일
→ 9번 원고 업로드에 삽입

#. 자체적으로 한글 빈 파일, PDF 빈 파일을 만들어서 업로
드해도 된다.

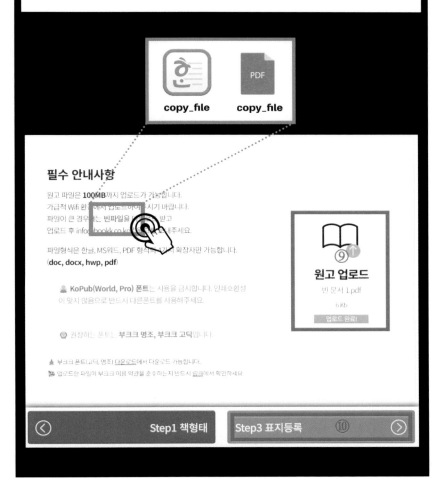

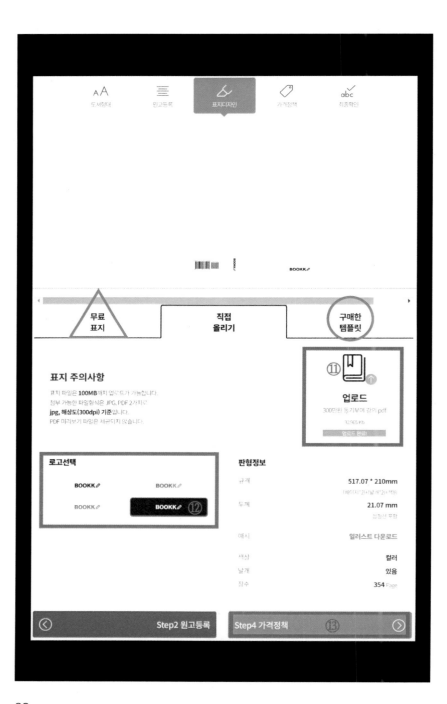

도서정보　　원고등록　　표지디자인　　가격정책　　최종확인

BOOKK✎

무료
표지

직접
올리기

구매한
템플릿

표지 주의사항

표지 파일은 **100MB**까지 업로드가 가능합니다.
첨부 가능한 파일형식은 JPG, PDF 2가지로
jpg, 해상도(300dpi) 기준입니다.
PDF 미리보기 파일은 제공되지 않습니다.

⑪
업로드
300만원 동기부여 강의.pdf
12,905 Kb
업로드 완료!

로고선택

BOOKK✎　　　　BOOKK✎

BOOKK✎　　　　BOOKK✎ ⑫

판형정보

규격　　　　　　　517.07 * 210mm
　　　　　　　　　(페이지*2)(날개*2)(책등)

두께　　　　　　　21.07 mm
　　　　　　　　　최종선 부함

예시　　　　　　　일러스트 다운로드

색상　　　　　　　컬러

날개　　　　　　　있음

장수　　　　　　　354 Page

Step2 원고등록　　　　　Step4 가격정책 ⑬

- 3단계. 표지 디자인

⑪ 표지 업로드. 표지 파일은 100MB까지 업로드가 가능. 첨부 가능한 파일 형식은 JPG, PDF 2가지로 jpg, 해상도(300dpi) 기준.
⑫ 로고 선택. 책 표지 바탕색에 따라 로고 색을 선택할 수 있다.
⑬ 가격정책. 4단계 가격정책 페이지로 이동한다.

책 표지는 사람으로 비유를 하면 얼굴, 외모, 첫인상이고 표지가 책의 모든 것을 좌우하기도 한다.
첫인상 효과, 초두효과라는 심리적 용어가 있다. 사람의 외모, 태도, 언어, 의상 등을 보면서 평균적으로 7초 이내에 상대방에 대한 첫인상을 형성하게 된다.

책 표지도 첫인상 효과, 초두효과처럼 책 표지, 제목, 이미지를 보고 1차적으로 책을 초이스 할지 안 할지 판단한다.

지금 어떤 시대에 살고 있는가? 스마트폰으로 인해서 하루만 해도 영상, 이미지, 글... 눈이 아플 정도로 화려한 것을 수 만개는 본다. 한마디로 지금 시대 사람들은 예전에 비해 시각적인 수준이 높아졌다는 것이다.

이런 상황에서 책 표지, 제목, 이미지가 평범하거나 호기심을 유발, 궁금증 유발 "이런 책 표지는 처음 보는데 표지가 너무 신선하다. 표지가 럭셔리하다.", 보고 싶도록 만드는 표지를 만들어야만 선택할 확률이 높아지는 것이다. 다음은 지금 현실 속 사람들의 집중력에 대한 내용이다.

겨우 8초, 금붕어보다 못한 인간의 집중력
소위 'MZ'라고 불리는 요즘 젊은 세대는 어렸을 때부터 늘 새로운 자극으로 가득한 디지털 환경에 노출된 채 자랐다. 그래서인지 한 가지 주제에 오랫동안 집중하기 상당히 어려운 뇌 구조를 지녔다고 한다. 뭔가에 집중할 수 있는 시간(Attention Span)에 관한 연구를 살펴보자. 아동이 주의해서 집중할 수 있는 시간은 얼마나 될까? '자신의 나이×1분' 정도라고 한다. 6세 어린이는 약 6분 정도 집중할 수 있다는 뜻이다. 이 시간은 개인에 따라 차이가 있고, 몰입하면 10~15분까지는 늘어날 수 있다.

너무 지루하지도 않고 그렇다고 아주 재미있지도 않은 평범한 수업을 하고 있다고 하자. 십 대 학생들은 보통 수업을 듣기 시작하면 약 10분 후부터 집중력이 떨어진다. 일반적으로 이들이 뭔가에 주의해서 집중할 수 있는 시간은 20분을 넘기기 어렵다. 따라서 수업 시작 후

10~20분이 지나면 신경전달물질이 고갈된 학생들은 이내 집중에 어려움을 느끼고 주의가 산만해진다. 그래서 유튜브 영상의 평균 길이는 15~20분이고, 테드(TED) 강연 길이는 18분이다. 집중력을 감안해 메시지를 확실히 전달하기 위한 시간이다. 드롭박스의 마케팅 신화를 쓴 실리콘밸리 최고의 마케터 션 엘리스(Sean Ellis)가 한 말을 약간 각색하여 들어보자.

"고객의 주의 집중을 원하신다고요? 사업 규모의 확장을 위해서는 시장이 원하는 언어를 사용해야 합니다. 언어의 시장 적합성이 무엇보다 중요하죠. 잠재 고객의 마음을 움직일 수 있는 말을 상상해 보세요. 당신이 만든 제품을 고객이 마주할 때 어떻게 해야 가장 효율적으로 전달할 수 있을지 생각해 보셨나요? 고객이 좋아하지 않는 언어로 구애한다면 실패입니다. 제품 가치를 알아줄 상대방이 없는 곳에서 헛스윙을 하는 거라고 생각하면 됩니다."

여기서 왜 고객의 마음을 끌어당길 언어에 몰두해야 하는지 그 이유가 나온다. 스마트폰이 생기기 전 고객이 광고에 집중할 수 있는 시간은 12초였다. 이제는 8초로 뚝 떨어졌다. 9초인 금붕어보다 못하다.

주의집중 시간의 변화

12초 - 2000년 인간의 평균 주의 집중 시간

8초 - 2015년 인간의 평균 주의 집중 시간

9초 금붕어의 주의집중 시간

인간의 평균 주의 집중 시간 인간의 평균 주의 집중 시간 금붕어의 주의 집중 시간 왜 이런 일이 발생했을까? 주변의 수많은 자극에 적응하다 보니 주의력이 줄어들었다는 것이 통설이다. 생각해 보라. 우리는 매일매일 넘치는 정보의 홍수 속에서 살아가고 있다. 수시로 오는 문자와 카카오톡 메시지, 귀찮아 들여다보지도 않는 이메일처럼 하루하루 우리의 신경을 산만하게 하는 요소가 차고 넘친다. 그 결과 집중해서 주의를 지속하는 시간이 줄어드는 것은 당연한 결과다. 게다가 여러 일을 한꺼번에 하는 멀티태스킹형 업무 방식에 길들여진 젊은 세 대에게 이런 현상은 더욱 심각하게 다가올 수밖에 없다.

뇌 신경세포를 뜻하는 뉴런과 마케팅의 합성어인 뉴로마케팅(Neuro Marketing)의 연구 결과를 보자. 브랜드의 색상이 소비자로 하여금 다양한 감정을 불러일으킨다고 한다. 소비자들이 상품을 구매하는 데 있어 시각적 효과가 약 95%를 차지한다고 하니, 디자인과 색감이 큐레이터에게는 아주 중요하다. 색은 브랜드를 인식하는 강력한 수단으로, 그리고 소비자의 신뢰를 확보하는 무기로 작용한다. 빨간색 코카콜라와 초록색 스타벅스 로고가 소비자의 지갑을 열게 하는 강력한 마케팅 도구로 활용되고 있다는 것은 마케팅 세계에서는 익히 아는 이야기다.

《감정 경제학》

금붕어의 집중력이 9초인데 지금 시대 사람들의 집중력이 8초라는 말이 씁쓸하기만 하다. 지금 현실 사람들의 심리를 알려주는 내용이었다. 어떤 분야든 지금 시대 사람들의 상태, 심리를 알아야만 공격적으로 영업, 마케팅을 할 수 있고 자신 분야 제품을 알릴 수 있는 것이다. 시각적인 효가가 95%를 차지한다는 것은 어마어마한 것이다. 그래서 책 표지 디자인이 중요하다고 말을 하는 것이다. 책 내용도 중요하지만 첫인상을 결정짓는 책 표지로 지금의 집중력 8초를 머물게 하지 못하면 끝이다.

20,000명 심리 상담 코칭 하면서 알게 된 책을 선택하는 사람들의 평균적인 순서가 있었다.
첫 번째 책 표지
두 번째 책 제목
세 번째 책 목차

"신은 사람의 마음을 보지만 사람은 외모를 본다."라는 말이 있듯이 신은 표지를 가리지 않고 보지만 독자들은 표지에서 70% 선택, 목차에서 30% 선택한다.

제목, 책 내용도 중요하지만 책 표지도 제목, 내용만큼이나 중요하다. 그래서 책 표지에 모든 정성을 쏟아야 한다. 위 사진에서 형광 핑크 삼각형에 있는 무료 표지가 있다. 무료 표지는 부크크출판사 자체에서 무료로 제공하는 표지다.

위 사진에서 형광 핑크 동그라미에 있는 구매한 템플릿은 부크크출판사 홈페이지에서 있는 작가 서비스가 있다. 표지 디자인 전문가에서 일정에 돈을 주고 의뢰하는 곳이다. 작가 서비스에서 고급 표지, 표지 디자이너, 내지 디자인, 교정, 교열 유료 서비스를 이용 할 수가 있다.

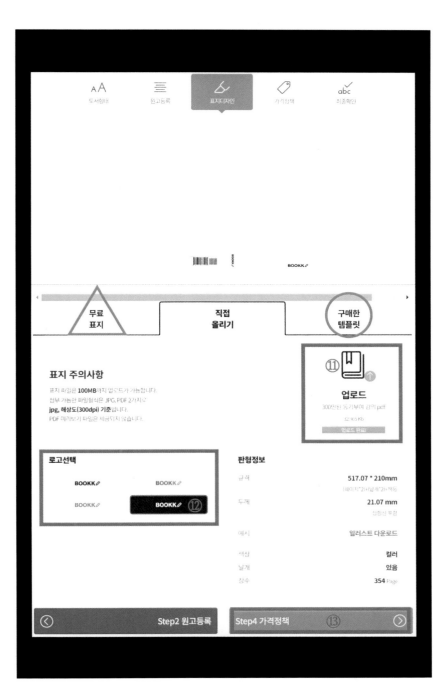

AA
도서형태

三
원고등록

✎
표지디자인

🏷
가격정책

abc
최종확인

‹   ›

△ 무료 표지   직접 올리기   ⭕ 구매한 템플릿

표지 주의사항

표지 파일은 **100MB**까지 업로드가 가능합니다.
첨부 가능한 파일형식은 JPG, PDF 2가지로
jpg, 해상도(300dpi) 기준입니다.
PDF 미리보기 파일은 제공되지 않습니다.

⑪ 📖 ⓘ
업로드
300만원 동기부여 강의.pdf
32x65 Kb
업로드 완료

로고선택

BOOKK✎   BOOKK✎

BOOKK✎   **BOOKK✎** ⑫

판형정보

규격	**517.07 * 210mm**
	(페이지*2)+(날개*2)+제본
두께	**21.07 mm**
	신청상 무관
예시	**일러스트 다운로드**
색상	**컬러**
날개	**있음**
장수	**354** Page

‹ Step2 원고등록   Step4 가격정책 ⑬ ›

유료서비스 가격

고급 표지 90,000원 ~ 160,000원.

표지 디자인 280,000원 ~ 400,000원.

내지 디자인 기본 40장 80,000원 ~

교정, 교열 10페이지 15,000원 ~

1권 쓰고 말 거라면 책 표지를 돈을 주고 만들면 된다.
하지만 책을 10권, 100권, 1,000권을 출간할 수 있는
기술력을 이 책에서 배우고 있는데 책 표지를 언제까지
돈 주고 만들 것인가? 책 표지 만드는 기술력을 배우면
100년 수입 창출을 할 수 있다. 종이책 1권 제작하면

전자책(PDF)은 자연스럽게 만들 수 있게 된다. 한마디로 종이책 1권을 출간하면 온라인에 1층을 가지고 있는 건물주가 되는 것이다. 필자는 종이책 150권, 전자책 250권 총 400권 출간했다. 한마디로 400층의 온라인 건물주라는 것이다.

월세, 연금성 수입이 얼마 정도 발생할 거 같은가? 앞에서도 언급을 했던 내용 참고하자. 2024년 대한민국 현실은 5명 중 1명이 사기꾼이고 3혹[유혹, 현혹, 화혹(화려함에 혹하다)]에 빠져 3명 중 1명중 한명이 사기 당한다. 대검찰청에 따르면 연간 136만 건 범죄 중 가장 많이 발생하는 범죄가 1위는 사기다. 수입 인증, 통장 인증하는 사람들 90%는 "믿음을 줘야 크게 한탕을 칠 수 있다."라는 심리가 있다. 수입 인증, 통장 인증하는 사람들이 다 사기꾼은 아니다. 하지만 단언컨대 사기꾼들은 수입 인증, 통장 인증을 한다는 것을 명심하자!

이번 생애 힘든 갓물주 위에 건물주는 힘들어도 온라인 건물주는 가능하다는 것이다. 최보규 방탄book 코칭 전문가의 PPT 디자인 수준인 마우(마우스만 움직일 줄 아는 우주 초보)에서 150권 표지를 만들 수 있었던 스토리텔링을 시작한다. 지금부터 상상을 초월하는 기술력을 오픈하기에 스마트폰 무음으로 해놓고 보길 바란다.

한 분야 전문가라면 이제는 자신 분야를 홍보하기 위한 디자인 스펙은 기본으로 해야 한다. PPT를 할 줄 아는 사람이라면 필수이다. 필자의 본업은 강사다. 15년 전 강사 직업을 시작으로 7G 직업(출판사 대표, 작가, 심리 상담사, 코칭 전문가, 강사, 유튜버, 한집의 가장)을 하고 있다.

강사 1년 차 PPT 디자인 수준이 상 → 중 → 하 → 마우(마우스만 움직일 줄 아는 우주 초보)에서 마우였다. 그런데 15년 전 PPT 디자인 수준이 마우였던 필자가 15년이 지난 지금도 PPT디자인 수준이 마우인 사람이 책과 연관된(종이책 표지, 종이책 3D 표지, 종이책날개 표지, 전자책 표지, 책에 들어갈 이미지 디자인, 책 출간 후 유튜브 홍보 영상 디자인, SNS 프로필 디자인... 등) 디자인 수준을 어떻게 끌어 올렸는지 150권 표지 디자인한 보고 냉정하게 판단해보길 바란다. 디자인을 보면 디자인 실력, 내공, 가치가 나온다.

#. 뒤에서 나오는 150권 표지 디자인 중에 1%만 공개하고 종이책 표지, 날개 표지 작업 노하우, PPT에서 책 표지, 날개 표지 만드는 노하우까지 공개한다. PPT 디자인 수준이 마우(마우스만 움직일 줄 아는 우주 초보)인 사람도 가능하다는 것을 필자가 증명해 보이겠다.

평균 희망 은퇴 73세, 현실 은퇴 나이 49세!
100세 시대 언제까지 몸(노동)으로만
일해서 돈을 벌 것인가?

세상, 현실 기준에서 스펙, 돈, 인맥, 자산 등이 없어서 100세까지 노동을 해야 되고 몸까지 아프면 더 답이 없는 상황! 젊을 때는 100가지 중 99가지를 할 수 있지만 나이 들면 100가지 중 99가지를 할 수 없다. 3고 시대, AI 시대, 챗GPT 시대에 자신의 직업이 사라 질 수 있는 상황에서 어떻게 준비, 대비할 것인가?

 방탄BOOK기술력
선택이 아닌 필수!

| Google 자기계발아마존 | ▶YouTube 방탄자기계발 | NAVER 방탄BOOK | NAVER 최보규 |

도서정대

원고등록

표지디자인

가격정책

최종확인

정가설정

55000 원 권 ⑭

* 최소가격 **34,700원**입니다.
* 최대 기본정가의 **3배**까지 설정할 수 있습니다.
* 소비자가격은 최소 가격보나 높아야합니다.
* 100원대 단위로 설정해야합니다.

정가인하

○ **네.** 작가 수익을 낮추고 소비자가격을 인하 하겠습니다.

◉ **아니요,** 소비자가격을 인하하시 않겠습니다.

외부서점 입점

◉ **네.** 외부 온라인 서점(교보문고, YES24, 알라딘 등) 입점 원합니다.

○ **아니요,** 부크크에서만 판매하며, 다른 서점은 원치 않습니다.

› 부크크는 필수로 입점되는 서점입니다.
› 무료 및 지집 은한 표지의 경우 유통 사정상에 따나 입점 제약이 있을 수 있습니다.
› 무표 표지팀입점을 이용하는 경우 **10권이상 판매**가 되었인때 외부유통 신청이 가능합니다.

최종 정가	55,000 원

부크크 서점 입점

기본정가	34,700 원
인쇄비	24,290 원
부크크수수료	8,250 원
작업비 (추가가격변경비 등)	14,210 원
정가인하	0 원
내수익	8,250 원

외부 서점 입점

기본정가	34,700 원
인쇄비	24,290 원
부크크수수료	8,250 원
외부서점수수료	6,940 원
작업비 (추가가격변경비 등)	10,020 원
정가인하	0 원
내수익	5,500 원

Step3 표지디자인

Step5 최종확인 ⑮

⑭ 정가설정. 책 컬러, 책 페이지 수에 따라 가격이 자동으로 설정이 된다. 최대 기본정가의 3배까지 설정할 수 있다. 외부서점(교보문고, YES24, 알라딘, 웅진북센, 등) 입점 체크하고 책 인세는 부크크 자체에서 판매 되면 15%, 외부 서점에서 판매 되면 10%다.

⑮ 최종 확인. 마지막 단계인 도서 소개, 도서 목차, 저자 경력, 소개 페이지로 이동한다.

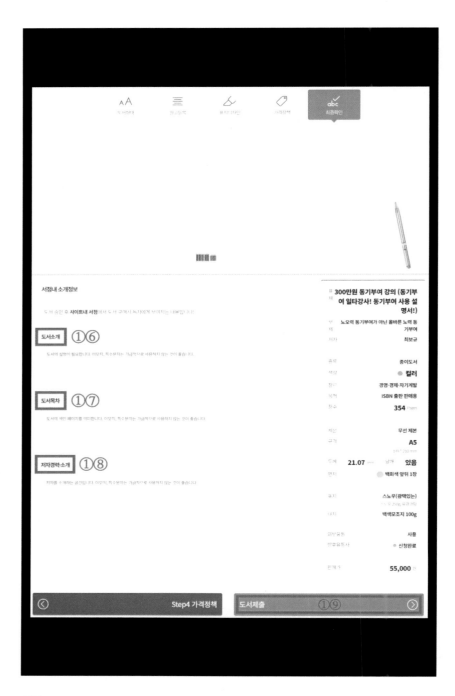

A A | 도서정렬 | 본문등록 | 표지디자인 | 가격정책 | abc 최종확인

서점내 소개정보

도서 승인 후 **사이트내 서점**에서 도 서 구매시 독자에게 보여지는 내용입니다.

도서소개 ①⑥

도서에 설명이 필요합니다. 이모지, 특수문자는 가급적으로 사용하지 않는 것이 좋습니다.

도서목차 ①⑦

도서의 책의 페이지를 의미합니다. 이모지, 특수 문자는 가급적으로 사용하지 않는 것이 좋습니다.

저자경력소개 ①⑧

저자를 소개하는 공간입니다. 이모지, 특수문자는 가급적으로 사용하지 않는 것이 좋습니다.

제목 **300만원 동기부여 강의 (동기부여 일타강사! 동기부여 사용 설명서!)**

부제 노오력 동기부여가 아닌 올바른 노력 동기부여

저자 최보규

종류 종이도서

색상 ● 컬러

장르 경영·경제·자기계발

목적 ISBN 출판 판매용

쪽수 **354** Pages

제본 무선 제본

규격 **A5**

표지 **스노우(광택있는)**

내지 백색모조지 100g

판매가 **55,000**

출시 **21.07** — 날개 **있음**

면지 ● 백회색 앞뒤 1장

바코드 사용

저작권 등록 ● 신청완료

◁ **Step4 가격정책** | 도서제출 | ①⑨ ▷

⑯ 도서 소개. 책 소개를 입력하는 곳이다. 책 표지, 책 제목 다음으로 많이 보는 책 소개다. 책 소개를 보고 책을 구매할지 안 할지 판단한다. 다음으로 나오는《300만원 동기부여 강의》책 소개를 참고하자.

《300만원 동기부여 강의》책 소개

★ 80억 분의 1 ONLY ONE 검증된 동기부여 일타강사의 강의 교안 세계 최초 오픈!
※. 강사가 강의 교안을 오픈하는 것은 통장, 영업 기밀을 오픈하는 거와 같다.

★ 3고(고물가, 고환율, 고금리) 시대, 49세 은퇴 시대(20대 은퇴 예정자? 30대 은퇴 확정자? 40대 은퇴 위험군?) 점점 더 은퇴 나이가 낮아지고 앞으로 더 힘들어지는 상황에서 자신 가능성을 높이는 동기부여, 자신 분야와 연결하여 제2수입, 제3수입을 지속적으로 만들 수 있는 방법을 제시하는 동기부여를 해 줄 것이다.

특허청 등록! 등록 번호: 제 40-2072344 호 [최보규 자기계발코칭 창시자]
20,000명 심리 상담, 코칭 / 15년 2,000권 독서

자기계발서 100권 출간 / 강사 15년, 강의 6,000회
7G 직업 (출판사 대표, 작가, 심리 상담사, 코칭 전문가, 강사, 유튜버, 한집의 가장)
45년간 습관 320가지 만듦...
많은 경력과 시행착오, 대가 지불, 인고의 시간을 통해 알게 된 동기부여를 세계 최초로 공개한다.

★ 어떤 강의에서도 말하지 못한 동기부여!
★ 어떤 강사도 말하지 못한 동기부여!
★ 어떤 책에도 없는 동기부여!
★ 어떤 영상에서도 볼 수 없는 내용의 동기부여!

⑰ 도서 목차. 책의 목차를 입력하는 곳이다. 다음으로 나오는 《300만원 동기부여 강의》 책 목차 참고하자.

《300만원 동기부여 강의》 책 목차

◆ 총정리(피드엔드법칙) 240
◆ 세계 최초 방탄강사 사관학교 272
◆ 지속적인(100년) 수입을 창출할 수 있는 기술력을 체계적으로 배우는 방탄자기계발사관학교 310

◆ 참고문헌, 출처 353

⑱ 저자 경력, 소개. 작가의 스펙이나 소개을 입력하는 곳이다. 다음으로 나오는 《300만원 동기부여 강의》책 저자 경력, 소개를 참고하자.

《300만원 동기부여 강의》책 저자 경력, 소개
★ 80억 분의 1 ONLY ONE 검증된 동기부여 일타강사!
★ 대한민국 특허청 등록 [등록 번호: 제 40-2072344호] [최보규 자기계발코칭 창시자]
★ 삼성(전문성, 진정성, 신뢰성)이 검증된 코칭 전문가.
★ 출판계 최초! 출판계의 혁신인 6가지 수입 창출 책 쓰기, 출간 기술력을 창시한 사람. [출판계의 스티브 잡스]

★ 20,000명 심리 상담, 코칭을 통해 많은 사람들을 살리고 함께 울고, 웃고, 공감으로 행복을 주는 동기부여

전문가.

대한민국 극단적인 선택률, 이혼율을 낮추고 행복률을 올리기 위해 방탄자기계발사관학교를 만든 사람.

www.방탄자기계발사관학교.com

★ 20,000 / 7G / 2,000 / 7,000 / 100 / 50 / 6,000 / 45 / 320 / 15 숫자가 말해주는 사람!

20,000명 심리 상담, 코칭.

7G 직업(출판사 대표, 작가, 심리 상담사, 코칭 전문가, 강사, 유튜버, 한집의 가장)

2,000권 독서. 7,000개 메모. 자기계발서 100권 출간.

100권 출간한 책으로 온라인 콘텐츠, 디지털 콘텐츠 제작하여 50층 온라인 건물주.

강의 6,000회. 45년간 습관 320가지 만듦. 강사 15년 차.

★ 최보규상(대한민국 노벨상)을 만든 사람.

최보규를 알고 있는 사람들에게 나다운 행복을 만들어 주기 위해 올바른 노력을 하는 사람.

⑲ 도서 제출. 심사, 승인을 받기 위한 최종 단계

최종제출 유의사항

◉ 동의 후 제출이 되면, 제출하신 표지와 내지 기준으로 입점을 위한 심사가 진행됩니다.

🔔 부크크에서 승인처리 한 후 다음 영업일 이내까지는 무료로 원고 교체가 가능합니다.
이후 정해진 파일교체일에 진행되며, **5,000원의 비용이 발생 됩니다.**

(예) 금요일 오후 5시 승인시 업무마감 오후 6시라면, 다음 주 월요일 영업시간 내 무료 교체가 가능합니다.

🔔 승인된 도서는 도서판형, 총페이지수, 제목, 저자명, 도서정 가, 날개유무 등을 변경 할 수 없습니다.

돌아가기   동의 후 제출 🔋②◎

---

bookk.co.kr 내용:

해당 단계를 진행하게되면 심사를 위한 제출을 하게 됩니다. 해당 도서를 최종 제출을 처리 할까요?

②①

확인   취소

⑳ 동의 후 제출. 동의 후 제출을 클릭하면 임시 서재로 저장이 된다. 동의 후 제출이 되면, 제출한 표지와 내지로 입점을 위한 승인 심사가 진행 된다.

㉑ 확인. 확인을 누르면 심사를 받는 것이다. 심사를 한 번에 승인받기 위해서는 취소를 누른 다음에 임시 서재에 저장되어 있는 것을 다시 꼼꼼하게 체크를 하고 확인을 누르는 것이 좋다.

심사는 2~3일 정도 걸리는데 승인 반려가 뜨면 시간이 더 길어지기에 임시 서재에 저장해서 꼼꼼하게 빠진 부분은 없는지 한 번 더 확인하는 것이 좋다.

1. 원고가 제작 가능한 규격.
2. 책으로 만들어졌을 때 여백 가능.
3. 서체가 당사 인쇄기기와 호환 유무.
(서체의 경우 문체부체, kopubpro, kopubworldpro 체는 사용 안 됨)
4. 이미지의 해상도나 저작권에 문제가 있을 것 같은 경우에는 저자에게 확인 요청.

필자가 부크크 출판사에서 종이책 150권, 전자책 100권, 유페이퍼 출판사 전자책 150권 총 450권을 출간 하면서 알게 된 것은 부크크 출판사, 유페이퍼 출판사들 심사, 승인 기준이 까다롭지가 않다는 것이다.

심사, 승인 기준 한 번만 통과하면 그 다음에는 심사, 승인 기준이 감이 오기에 수월하게 진행을 할 수 있다.

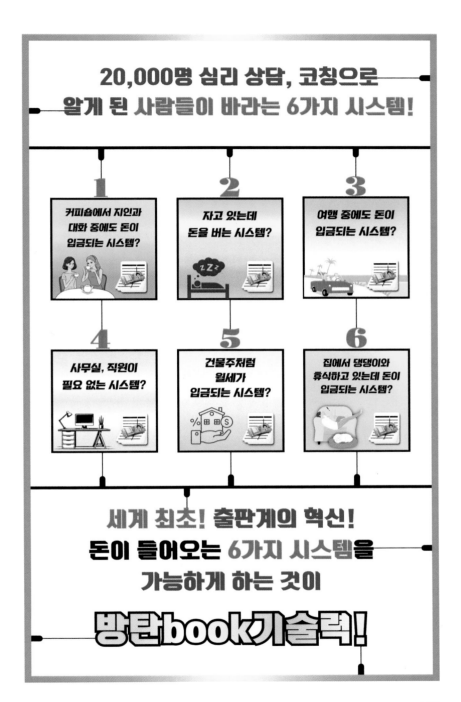

★ 부크크출판사에서 5단계만(5분) 거치면 누구나 종이책을 출간할 수 있지만 아무나 출간한 책으로 6가지 수입 창출을 연결시키지 못한다?

지금까지 부크크출판사의 종이책 등록 매뉴얼 순서를 보면서 이런 생각을 하는 두부류에 사람들이 나온다.

첫 번째 부류
"우와! 책 출간 방법이 이렇게 쉬웠어! 그토록 찾던 책 출간 방법이 여기 있었는데 지금까지 헤매던 시간들을 보상받는 느낌이다. 최보규 방탄book 코칭 전문가님께 감사하다. 부크크출판사 등록 순서대로 하면 돈 안 들이고 혼자서 충분히 할 수 있을 거 같다. 책 출간하는데 이렇게 돈 안 들이고 쉽게 책 출간해도 되나? 진짜 대박이다!"라는 생각이 들 것이다. 이런 생각이 충분히 들 수 있다. 하지만 정작 중요한 것을 모르고 있다.

부크크출판사에 책 출간 등록 매뉴얼은 책 출간만 할 수 있는 방법이지 출판계의 혁신인 방탄book기술력까지 할 수 있는 것이 아니다.

책을 출간해서 6가지 수입을 창출 할 수 있는 방탄book 기술력 접목은 ONLY ONE인 최보규 방탄book기술력

20,00명 심리 상담, 코칭 하면서 알게 된 것이 있다. 방탄book기술력 과정이 3단계가 있다. 이코노미 코칭, 비지니스 코칭, 퍼스트 클래스 코칭 중 기초 과정인 이코노미 코칭 과정을 배우면 혼자서도 충분히 할 수 있을 자만심이 생겨 혼자서 책 등록을 하다가 어려워서 도움을 요청하는 사람들이 많았다. 쉬운 설명이라도 자신이 막상 하면 어려운 경우가 많다.

두 번째 부류
"음... 시중에 책 쓰기 책, 책 출간 책보다는 좀 더 쉽게, 디테일하게 설명을 했지만 혼자서 하기가 쉽지 않을 거 같은데... 최보규 방탄book기술력 창시자님도 마우(마우스만 움직일 줄 아는 사람) 실력으로 150권을 출간 했다고 했는데... 마우 수준인 나는 그래도 어렵다."라는 자신감 없는 생각이 들 것이다. 자신감 없는 생각이 드는 것은 지극히 자연스러운 것이다.

단언컨대 시중에 많이 있는 책 쓰기, 책 출간 책들 중에 이렇게까지 세부적으로 디테일하게 초보자 눈높이에서 설명해 놓은 것을 보고도 시도를 안 한다면 그 어떤 책 쓰기, 책 출간 책을 보더라도 할 수 없을 것이다.

자신을 못 믿는 사람들이 많을 것이다. 하지만 자신을 믿어주는 최보규 방탄book기술력 창시자를 믿고 시작하면 된다. 우주 최강 책임감 150년 a/s, 피드백, 관리를 받고 싶다면 방탄book기술력 교육, 코칭을 받길 바란다.

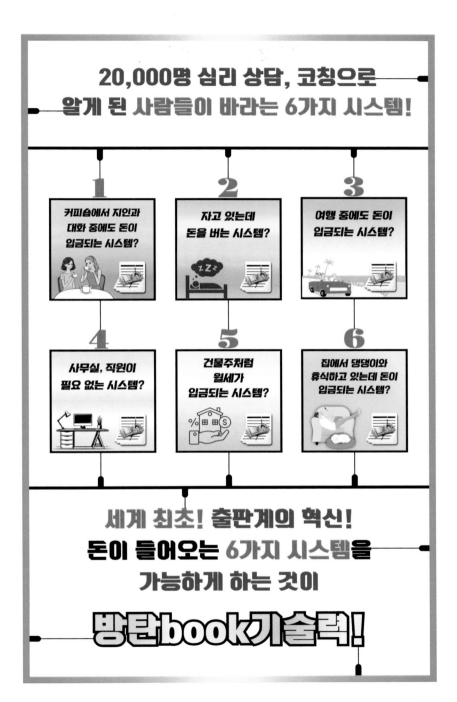

**평균 희망 은퇴 73세, 현실 은퇴 나이 49세!
100세 시대 언제까지 몸(노동)으로만
일해서 돈을 벌 것인가?**

세상, 현실 기준에서 스펙, 돈, 인맥, 자산 등이 없어서 100세까지 노동을 해야 되고 몸까지 아프면 더 답이 없는 상황! 젊을 때는 100가지 중 99가지를 할 수 있지만 나이 들면 100가지 중 99가지를 할 수 없다. 3고 시대, AI 시대, 챗GPT 시대에 자신의 직업이 사라 질 수 있는 상황에서 어떻게 준비, 대비할 것인가?

 **방탄BOOK기술력
선택이 아닌 필수!**

세계 최초
방탄
BOOK
기술력

Google 자기계발아마존 | ▶YouTube 방탄자기계발 | NAVER 방탄BOOK | NAVER 최보규

부크크출판사에 전자책 등록 5단계 매뉴얼은 종이책 등록 5단계와 몇 가지 빼고는 차이가 없다. 앞에 나온 종이책 등록 5단계를 따라 하면 전자책 등록은 쉽다. 부크크출판사 전자책에 장점은 종이책을 출간할 때 1+1으로 등록을 할 수 있다는 것이고 단점으로는 부크크출판사 홈페이지 자체에서만 판매가 된다는 것이다. 종이책은 외부 서점 유통이 되는데 전자책은 외부 유통이 되지 않는다.

그럼에도 불구하고 부크크출판사에 전자책을 등록해야 되는 이유가 있다. 방탄book기술력(수익 창출 6가지 시스템) 코칭 할 때 알려주는 팁을 오픈하겠다. 외부 유통이 안 돼서 전자책 판매가 많이 되지 않더라도 전자책 등록한 분야로 인해 강의 섭외, 코칭, 제품 판매, 홍보 마케팅이 된다는 것이다. 부크크출판사 자체 작가, 회원, 불특정 다수에게 자신 책 홍보가 되어 어떤 연결 고리가 생길지 모른다는 것이다.

부크크출판사에서 종이책을 출간한다면 전자책은 무조건 등록해야 한다. 돈이 들어가지 않기 때문에 무조건 해야 한다.

20,000명 심리 상담, 코칭으로 알게 된
20,000명이 바라는 책 쓰기, 책 출간 교육, 코칭

 10가지

1

한번 출간한 책으로 평생 활용하는 방법을 알려주는 교육, 코칭

2

로또 2등과 같은 기획출판을 하기 위해서 출판기획서 제작 스트레스, 거절 메일을 확인 하는 스트레스, 370가지 스트레스... 등 마음고생 덜 하고 책 출간할 수 있는 책 쓰기 교육, 코칭

3

책 활용 수입 창출 시스템 교육을 검증 된 전문가에게 한 곳에서 시간, 돈 낭비를 줄여주는 책 쓰기 교육, 코칭

4

한번 코칭으로 100년 a/s, 피드백, 관리해주는 책 쓰기 교육, 코칭

5

책 출간 후 자신 분야 삼성(진정성, 전문성, 신뢰성)을 높여 자신 분야 내공, 가치, 몸값까지 올릴 수 있는 책 쓰기 교육, 코칭

6   출간한 책으로 <u>강사가 되어 은퇴 후 제2의 직업</u>을 할 수 있는 책 쓰기 교육, 코칭

7   책 출간 후 자신 분야 코칭 전문가가 되어 은퇴 후 <u>제3의 직업</u>까지도 할 수 있는 책 쓰기 교육, 코칭

8   책 출간 후 온라인 콘텐츠까지 제작을 해서 <u>비수기 없는</u> 책 쓰기 교육, 코칭

9   책 출간 후 디지털 콘텐츠까지 제작을 해서 <u>월세, 연금성 수입까지 발생</u>시킬 수 있는 책 쓰기 교육, 코칭

10   책 한 권 출간하고 끝나는 것이 아니라 <u>100년 동안</u> 책을 무한대로 출간 할 수 있는 책 쓰기, 책 출간 기술력을 교육, 코칭

책 쓰기, 책 출간 교육, 코칭은 누구나 한다.
<u>6가지 수입 창출 책 쓰기, 책 출간</u>
<u>교육, 코칭은 방탄BOOK 창시자 뿐이다.</u>

20,000명 심리 상담, 코칭으로 알게 된 20,000명이 바라는 책 쓰기, 책 출간 교육, 코칭

10가지

www.방탄book.com

NAVER 방탄book출판사

세계에서 20,000명이 바라는
책 쓰기, 책 출간 교육, 코칭 10가지를
할 수 있는 곳은

방탄book출판사 뿐이다!
최보규 강사책출간 코칭전문가

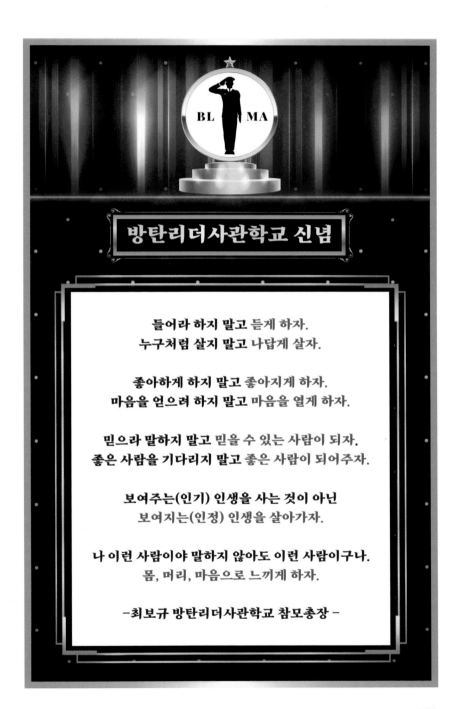

방탄리더사관학교 신념

들어라 하지 말고 듣게 하자.
누구처럼 살지 말고 나답게 살자.

좋아하게 하지 말고 좋아지게 하자.
마음을 얻으려 하지 말고 마음을 열게 하자.

믿으라 말하지 말고 믿을 수 있는 사람이 되자.
좋은 사람을 기다리지 말고 좋은 사람이 되어주자.

보여주는(인기) 인생을 사는 것이 아닌
보여지는(인정) 인생을 살아가자.

나 이런 사람이야 말하지 않아도 이런 사람이구나.
몸, 머리, 마음으로 느끼게 하자.

- 최보규 방탄리더사관학교 참모총장 -

1) 책 원고 작업 세팅.
(한글(HWP)에 종이책 기본 규격 세팅)

대중적인
사이즈

46판

A5

B5

A4

127＊188mm
일반도서
시, 에세이

148＊210mm
일반도서
소설, 에세이

182＊257mm
문제지, 잡지

210＊297mm
문제지, 잡지

[bookk 출판사]

★ 종이책 원고 작업 매뉴얼

1) 책 원고 작업 세팅. 한글(HWP)에 종이책 기본 규격 세팅.

책 원고 작업을 여러 가지 프로그램에서 가능하지만 평균적으로 책 원고 작업을 한글(HWP)에서 한다. 그래서 출판사의 종이책 원고 규격에 맞는 한글(HWP)에 기본 규격 세팅을 해야 한다.

▶ 원고 작업을 위한 한글(HWP) 기본 규격 세팅 순서. 한글 → 편집 → 쪽 여백 → 쪽 여백 설정 → 종류(사용자 정의) → 폭(154) → 길이(216) #. A5 대중적인 사이즈 148*210인데 상하좌우 3mm는 실제 제작 할 때 재단되어 반영되지 않기에 148+6*216+6= 폭(154)* 길이(216)가 되는 것이기에 참고하자.

→ 용지 방향(세로) → 제본(맞쪽) → 용지 여백 → 위쪽 18.0 → 머리말 7.0 → 꼬리말 13.0 → 아래쪽 18.0 → 안쪽 28.0 → 바깥쪽 23.0 → 문서 전체 → 설정

한 번만 세팅해 놓으면 복사해서 계속 쓸 수 있다.

1) 책 원고 작업 세팅.
(한글(HWP)에 종이책 기본 규격 세팅)

▶ 글꼴: 바탕 ~
▶ 글자 크기: 10 ~
▶ 글정력: 양쪽 정렬
▶ 줄 간격: 160% ~

※ 글꼴, 글자 크기, 줄 간격 출판사 마다 다르다.
bookk 출판사에서 평균적으로 사용하는 규격이
니 참고하길 바란다.

※ 글꼴, 글자 크기, 줄 간격 출판사마다 다르다. bookk 출판사에서 평균적으로 사용하는 규격이니 참고하길 바란다.

▶ 한글 → 글꼴(바탕) → 글자 크기(10) → 양쪽 정렬 → 줄 간격 160%

필자는 글자 크기를 12, 줄 간격은 180%로 하고 있다. 출판사가 정해 놓은 규격에서 조금 플러스가 될 수는 있지만 마이너스가 되면 안 된다. (책 출간이 안 되는 예시: 글자 크기 9, 줄 간격 150%)

한번만 세팅해 놓으면 복사해서 계속 쓸 수 있다.

1) 책 원고 작업 세팅.
(한글(HWP)에 종이책 기본 규격 세팅)

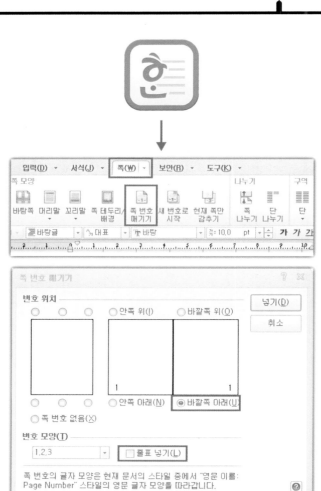

페이지 번호를 미리 세팅해 놓으면 원고 작업할 때 편하다. 지금 몇 페이지를 쓰고 있는지 몇 페이지가 남았는지 체크를 할 수가 있어서 원고 작업이 수월해진다. 쪽 번호 매기기는 원고를 다 쓴 다음에 할 수도 있다.

▶ 한글 → 쪽 → 쪽 번호 매기기 → 바깥쪽 아래 → → 줄표 넣기(자신 스타일에 맞게) → 넣기

한 번만 세팅해 놓으면 복사해서 계속 쓸 수 있다.

2) 책 출간의 뼈대인 초고 매뉴얼
- 책 분야 선택 (인기 있는 분야? 자신 분야?)

대학교로 비유를 하면 여러 가지 과로 나누어져 있듯이 책 분야도 여러 분야로 나누어져 있다. 대학교도 인기 있는 과가 있고 인기 없는 과가 있듯이 책 분야도 인기 있는 분야가 있고 인기 없는 분야가 있다. 한마디로 책을 보는 사람들이 좋아하는 분야가 있다는 것이다.

다음은 책 분야를 정리한 것이니 참고해서 책 분야 전체적인 흐름을 파악하길 바란다.

소설, 시/에세이, 인문, 가정/육아, 요리, 건강, 취미/실용/스포츠, 경제/경영, 자기계발, 정치/사회, 역사/문화, 종교, 예술/대중문화, 중/고등참고서, 기술/공학, 외국어, 과학, 취업/수험서, 여행, 컴퓨터/IT, 잡지, 청소년, 초등참고서, 유아(0~7세), 어린이(초등), 만화, 대학교재
<교보문고>

마음 같아서는 인기 있는 분야를 쓰고 싶을 것이다. 하지만 처음 글을 쓰는 사람들, 글 내공이 없는 사람들, 자신 분야 책을 3권 이상 쓰지 않은 사람들은 인기 있는 분야가 아닌 자신이 자신 있게 쓸 수 있는 분야를 선택해야 한다.

운전으로 예시를 들겠다. 운전면허증을 오늘 취득한 초보가 인기 있는 차종, 사람들이 좋다고 하는 차종, 고가의 차종을 운전한다면 부담이 되어서 나다운 운전 스타일이 나오지 않는다.

당연히 돈이 많아서 운전이 서툴러도 부담 없이 운전하는 사람도 있을 수 있지만 나다운 운전 스타일이 자리잡을 때까지는 부담이 없는 소형차부터 시작을 하듯이 책 쓰기도 인기 있는 분야를 처음부터 시도해도 되지만 자신이 가장 잘 쓸 수 있는 자신 스토리, 자신 전문 분야로 책을 쓰면 글을 잘 쓸 수 있다.

자신에게 맞는 책 분야 선택을 잘 하려면 시중에 있는 자신 분야와 연관 있는 책들 10권 이상 보길 바란다. 10권 이상 보면 어느 정도 감이 올 것이다. 세상에서 가장 좋은 방법은 벤치마킹하는 것이다.

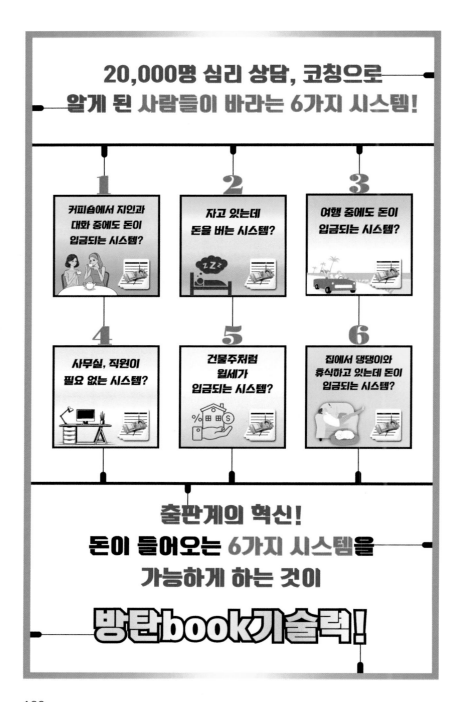

132

평균 희망 은퇴 73세, 현실 은퇴 나이 49세!
100세 시대 언제까지 몸(노동)으로만
일해서 돈을 벌 것인가?

세상, 현실 기준에서 스펙, 돈, 인맥, 자산 등이 없어서 100세까지 노동을 해야 되고 몸까지 아프면 더 답이 없는 상황! 젊을 때는 100가지 중 99가지를 할 수 있지만 나이 들면 100가지 중 99가지를 할 수 없다. 3고 시대, AI 시대, 챗GPT 시대에 자신의 직업이 사라 질 수 있는 상황에서 어떻게 준비, 대비할 것인가?

 방탄BOOK기술력
선택이 아닌 필수!

세계 최초
방탄
BOOK
기술력

첫 번째, 책 제목을 만들고 책 내용을 쓰는 게 먼저일까? 두 번째, 책 내용을 쓴 다음 책 제목을 만드는 게 먼저일까?

정답은 없지만 20,000명 심리 상담, 코칭, 종이책 150권, 전자책 250권 총 400권 출간 경력으로 알게 된 것은 책 내용을 쓰기 전에 책 제목을 간단하게 만들어야 한다는 것이다. 책 내용을 쓰면서 책 제목이 바뀔 수 있고 좀 더 좋은 아이디어가 나온다는 것이다.

"초고는 쓰레기다."라는 말이 있다. 처음 생각하고 만든 것은 어설프고 미흡하며 보완할 것이 많다는 의미다. 자신이 추구하는 책 분야, 책 가치, 책 신념, 책 의미, 책 목표, 책 방향이 정확하게 있다면 제목을 신중하게 만들 수 있지만 그렇지 않다면 간단하게 제목을 만들어도 된다.

필자에 첫 번째 책은 《나다운 강사 1》, 《나다운 강사 2》다. 필자 본업이 강사이다. 5년 전 강사 직업과 강사 양성코칭을 10년 하면서 쌓인 노하우들을 책으로 출간을 했다. 《나다운 강사 1》 책 제목을 '책을 써야겠다.' 라는 마음먹은 순간부터 6개월 초고 작업과 탈고까지

하면서 제목을 한 번도 수정한 적이 없다. 책 분야, 책 가치, 책 신념, 책 의미, 책 목표, 책 방향이 정확하게 있었기 때문이다.

20,000명 심리 상담, 코칭, 종이책 150권, 전자책 250권 총 400권 출간하면서 알게 된 것은 처음 만들었던 책 제목은 초고를 쓰는 동안 여러 번 수정을 한다는 것이다. 처음 만들었던 책 제목을 책 출간까지 유지 되는 경우보다 수정하는 경우가 더 많았고 9(수정):1(유지)정도 되었다.

책 제목에 처음부터 힘쓰지 말고 가볍게 만들고 책 내용을 쓰면서 다듬어 가면 되는 것이다. 책 제목 가칭을 정하고 초고를 쓰면서 자신 분야와 비슷한 책들의 제목을 참고하며 지금 사람들 좋아하는 트랜드에 맞는 제목을 만들면 된다.

필자의 멘탈분야에 베스트셀러인 《나다운 방탄멘탈》 책으로 이해를 시켜주겠다.
《나다운 방탄멘탈》 책 처음 제목이 <나다운 멘탈>이었다. 나다운 멘탈 주제로 7단계 큰 목차로 구분을 해서 초고를 만들었다.

1단계 나다운 순두부멘탈
2단계 나다운 실버멘탈
3단계 나다운 골드멘탈
4단계 나다운 에메랄드멘탈
5단계 나다운 다이아몬드멘탈
6단계 나다운 블루다이아몬드 멘탈
7단계 나다운 방탄멘탈

퇴고(원고를 고쳐 쓰는 단계)를 하고 탈고(원고를 마무리하는 단계)를 하는 중 한창 BTS(방탄소년단)그룹이 전 세계적으로 이슈가 되고 있었다. 어느 날 멘탈에 대해서 아내와 소통을 하는 중 우주에서 가장 사랑스러운 아내가 이런 말을 했다. "나다운 멘탈이 추구하는 본질이 자신 멘탈을 외부로부터 보호를 먼저 해야만 멘탈 높이는 방법들이 효과가 있다면 지금 방탄소년단이 트랜드이니까 방탄을 제목에 넣어서 나다운 방탄멘탈로 하면 어때?"라는 말에 피카츄 300만 볼트 전기 충격을 받았다.

장기, 바둑도 훈수 두는 사람이 더 잘 보이듯이 필자가 보지 못한 것을 우주에서 가장 존경하는 아내가 본 것이다. 그래서 《나다운 방탄멘탈》 책이 출간과 동시에 멘탈 분야 베스트셀러가 될 수 있었다.

간단히 정리를 하면 첫 번째는 책 제목 가칭을 가볍게 만들기. 두 번째는 초고를 쓰면서 시중에 있는 자신 분야 책들을 참고. 세 번째는 지금 사람들에게 이슈 되는 트랜드 읽기. 네 번째는 퇴고, 탈고하면서 책 제목 최종적으로 다듬기.

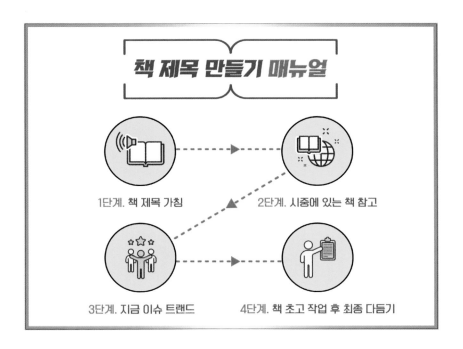

- 책 콘셉트, 사람들이 선호하는 책 콘셉트
(글만 있는 콘셉트? 글+ 스토리텔링? 글+ 스토리텔링+ 이미지?)

20,000명 심리 상담, 코칭, 종이책 150권, 전자책 250권 총 400권 책을 출간하면서 알게 된 것은 시대 흐름에 맞게 독자들이 선호하는 책 콘셉트가 있었다. 책 콘셉트는 스마트폰 시대 전과후로 나누어진다.

스마트폰이 없던 시대에는 책 콘셉트가 책 내용에 글만 있어도 괜찮았다. 그 이유는 글만 있는 책들이 대부분이고 생활 속에서 화려한 이미지, 영상에 노출되는 것이 한정되어 있었다.
하지만 지금은 어떤가? 스마트폰 시대에 하루 만에도 유튜브, 인스타그램, SNS 등으로 인해 수 백 개, 수 천 개의 화려한 이미지, 영상으로 눈이 아플 정도로 노출이 되고 있다. 이런 환경 속에서 책 콘셉트가 이미지는 하나도 없고 글만 있다면 책을 안 보는 사람들이 더 많아지고 책을 더 멀리하게 된다.

책을 좋아하는 사람들은 이미지가 있건 없건 책을 본다. 하지만 책을 좋아하지 않는 사람들은 이미지가 있어야 책을 보는데 좀 더 수월하다는 것이다. 책을 출간하려는 사람들은 책의 기본 사명감이 있어야 한다.

출간한 책으로 돈을 버는 것도 좋지만 자신 책으로 인해서 많은 사람들에게 도움, 영감, 삶의 지혜를 주어 지금 보다 나은 삶을 살아가기 위한 내비게이션 역할을 해줄 수 있는 책 출간을 해야 한다.

책을 보는 사람들을 타깃층 대상으로 책 내용을 쓰는 건 기본이지만 좀 더 나아가 책을 보지 않는 사람들, 책을 싫어하는 사람들이 우연히 자신 책을 봤을 때 "어라! 책 한 페이지만 봐도 졸음이 쏟아지는 사람이었는데 나에게는 책이 수면제였는데 이 책은 이미지, 스토리텔링도 많아서 끝까지 보게 된다. 태어나서 처음으로 끝까지 읽은 책이다. 독서에 눈을 뜨게 한 책이다. 이 작가에게 너무 고맙다."라는 말을 들을 수 있는 책을 출간하기 위한 책 콘셉트를 잘 잡아야 한다.

앞에서 필자의 책을 보고 "태어나서 처음으로 끝까지 읽은 책이다. 독서에 눈을 뜨게 한 책이다."라고 말했던 사람들에 말이 책이 많이 팔리는 기쁨 보다 1,000배는 더 기쁘고 행복했고 내가 살아가는 이유, 내가 존재하는 이유를 느끼게 해주었다. "나의 1%가 누군가에게는 살아가는 이유 100%가 될 수 있다."라는 말을 실제 경험했던 상황이었다.

솔직히 책을 좋아하는 1%들은 글만 있는 것을 더 선호한다. 하지만 대부분 사람들은 글만 있는 것을 싫어한다. 스마트폰으로 인해서 이미지, 영상, 화려함에 중독이 되어 있기 때문이다. 이런 환경 속에서 한 명이라도 자신 책을 읽게 만들기 위한 책 콘셉트가 중요하다고 강조하는 것이다.

그런데 안타깝게도 세계 어느 나라건 출판계 현실이 몇 천 년이 지나도 책 콘셉트가 변하지 않고 있다. 지금 4차 산업 시대, AI 시대, 챗 GPT 시대 등 빠르게 변하고 있는 상황 속에서 몇 천 년 전 책 콘셉트와 지금과 별 차이가 없고 극단적인 표현을 하면 똑같다는 것이다.

이미지를 보듯이 BC 2700년경 인류 최초의 '점토판' 책과 2024년 지금 책 콘셉트를 보면 비슷하다 못해 똑같다는 것이다. 책 재질인 흙, 종이, 잉크 차이 빼고는 똑같다는 것이다. 어떤 생각이 드는가? 고정형 마인드와 성장형 마인드를 가진 사람 차이를 알려 주겠다.

고정형 마인드를 가진 사람들은 "몇 천 년이 지나도 책 콘셉트는 변하지 않는다. 아무리 스마트폰으로 인해서 이미지, 영상, 화려함에 중독이 되어 있어도 책은 좋아하는 사람만 보기에 앞으로 책 콘셉트는 글만 쓰면 되겠다."

성장형 마인드를 가진 사람들은 "몇 천 년이 지나도 책 콘셉트가 변하지 않았다. 스마트폰으로 인해서 이미지, 영상, 화려함에 중독이 되어있는 환경에서 앞으로 화려함에 중독되어 가는 것이 더 심하면 심했지 덜하지는 않을 것이다. 지금 환경, 사람들 심리에 맞춰 책 콘셉트를 글과 이미지를 잘 조합해야겠다. 그래야만 다른 책과 경쟁에서 살아남을 수 있다."

자신은 고정형 마인드를 가진 사람인가? 성장형 마인드를 가진 사람인가? 가슴에 찔림이 있다면 변화할 기회가 온 것이고 가슴이 두근두근 거린다면 행동할 기회가 온 것이다.

가슴이 벅차 오른 다면 방탄book기술력(6가지 수입 창출 시스템 교육) 코칭 받을 기회가 온 것이다. 지금 당장 상담받길 바란다!

♥ 최보규 방탄book기술력 창시자 010-6578-8295 ♥

#. 세계 3대 혁신이 있다.
- 첫 번째, 스마트폰 혁신
· 1876년 미국의 알렉산더 벨(Alexander G. Bell)
· 2007년 스티브 잡스 아이폰 (아이팟 + 인터넷 + 폰)
- 두 번째, 자동차 혁신
· 1886년 세계 최초 가솔린 자동차 / 칼 벤츠가 발명한 '페이턴트 모터바겐'
· 2024년 벤츠 전기차
- 세 번째, 출판계 혁신
· 인류 최초의 책 '점토판' BC 2700년경
· 방탄book기술력(수입 창출 6가지 방법)

지금 당신이 보고 있는 이 책이 세계 최초로 출판계의 혁신인 방탄book기술력이다. 지금 당신에게 천재일우 (천 년에 한 번 만난다는 뜻으로 좀처럼 만나기 어려운 기회) 온 것이니 조상님에서 감사하고 "내가 인생을 지금까지 잘 살아서 이런 기회가 오는구나."라는 마음으로 제대로 배워서 자신을 알고 있는 사람들에게 필요한 사람이 되길 바란다.

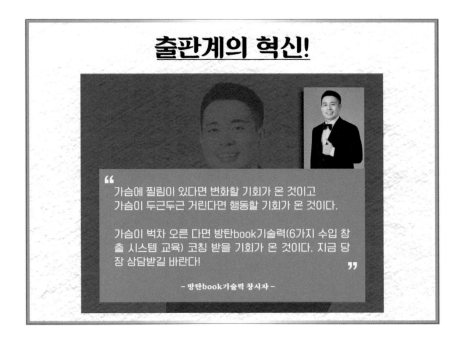

세계 최초! 출판계 혁신!

책만 출간하고 끝나는 것이 아닌 자신 분야와 출간 한 책을 연결하여 6가지 수입 창출을 연결 할 수 있는 방법이 아닌 기술력을 마스터 한다.

우리는 이것을
방탄book기술력이라 부른다.

20,000명 심리 상담, 코칭, 종이책 150권, 전자책 250 권 총 400권 책을 출간하면서 알게 된 사람들이 선호하는 책 콘셉트를 설명하겠다.

첫 번째, 글만 있는 책 콘셉트.

시중에 있는 책 90%가 글만 있는 책 콘셉트이다. 오해하지 말고 들었으면 한다. 글만 있는 책이 나쁘다고 말하는 것이 아니다. 앞에서 언급했듯이 몇 천 년이 지나도 책 콘셉트가 변하지 않고 있다는 것을 말하고 싶은 것이다. 글만 있는 콘셉트는 책을 좋아하는 사람들에게는 상관이 없다. 글만 있는 콘셉트가 익숙하기 때문이다. 하지만 책을 좋아하지 않는 사람들에게는 글만 있는 책 콘셉트는 독서에 중요성만 알고 있는 사람들에게는 늘 좌절하게 만든다. 시도는 늘 한다. 글만 있는 책 콘셉트는 늘 좌절하게 만들어 독포자(독서 포기자)가 되어 가는 안타까운 상황이 벌어진다.

두 번째, 글과 글을 뒷받침해 주는 스토리텔링.

글 빨, 글 내공이 있는 작가라면 충분히 자신의 스토리만으로도 책 내용 전달이 되어 책을 이해하는데 문제가 없다. 하지만 글 빨, 글 내공이 없는 작가들이 90%이다. 작가의 스토리로는 독자들에게 책 내용 전달이 쉽지 않고 이해력도 떨어진다. 그래서 글 빨, 글 내공이 없고 책을 많이 써보지 않은 사람이라면 독서, 영상, SNS 등에서 나오는 스토리텔링을 자신 글과 접목을 하면 된다. 자신 글에 날개를 달아주는 것이 기존에 있는 스토리텔링을 융합하는 것이다. 그러기 위해서는 평상시 스마트폰을 최대한 활용해야 한다. 하루 만에도 수 백 개, 수천 개의 영상, 이미지, 좋은 글, 좋은 메시지 등을 본다. 캡처하거나 글을 복사해서 메모장에 저장해 두었다가 책 쓸 때만 활용(저작권 위반 사항 주의) 하는 것이 아니라 힘들고 지칠 때 한번 씩 보면 도움이 되고 지인들과 대화하다가 도움이 되는 메모가 생각이 나면 보내줄 수도 있다. 필자의 7,000개 메모가 종이책 150권, 전자책 250권 총 400권을 출간하는데 기초가 되었다.

세 번째, 글과 글을 뒷받침해 주는 스토리텔링이 99℃ 물이라면 1℃를 올려 끓게 만드는 건 이미지 디자인. 사람은 시각적인 동물이다. 시각적인 효과가 95%를 차지한다. 지금 시대는 숏폼으로 인해서 집중도가 더 낮아지고 있다. 이런 현실 속에서 책을 쓰는 사람이라면 독자들에 집중력까지 감안해서 집중력을 끌어올릴 수 있는 책 콘셉트를 잘 정해야 한다.

지금 어떤 시대에 살고 있는가? 스마트폰으로 인해서 하루만 해도 영상, 이미지, 글... 눈이 아플 정도로 화려한 것을 수 만개는 본다. 한마디로 지금 시대 사람들의 평균 시각적인 수준이 높다는 것이다. 이런 상황에서 글만 있는 책이라면 집중도가 떨어진다. 호기심을 유발, 궁금증 유발 "이런 디자인은 처음 보는데 너무 신선하다. 럭셔리하다."라는 마음이 들어서 보고 싶도록 이미지도 있어야 집중도가 올라간다. 다음은 지금 현실 속 사람들의 집중력에 대한 내용이다.

겨우 8초, 금붕어보다 못한 인간의 집중력
소위 'MZ'라고 불리는 요즘 젊은 세대는 어렸을 때부터 늘 새로운 자극으로 가득한 디지털 환경에 노출된 채 자랐다. 그래서인지 한 가지 주제에 오랫동안 집중하기 상당히 어려운 뇌 구조를 지녔다고 한다. 뭔가에 집중할 수 있는 시간(Attention Span)에 관한 연구를 살펴보자. 아동이 주의해서 집중할 수 있는 시간은 얼마나 될까? '자신의 나이×1분' 정도라고 한다. 6세 어린이는 약 6분 정도 집중할 수 있다는 뜻이다. 이 시간은 개인에 따라 차이가 있고, 몰입하면 10~15분까지는 늘어날 수 있다. 너무 지루하지도 않고 그렇다고 아주 재미있지도 않은 평범한 수업을 하고 있다고 하자. 십 대 학생들은 보통 수업을 듣기 시작하면 약 10분 후부터 집중력이 떨어진다. 일반적으로 이들이 뭔가에 주의해서 집중할 수 있는 시간은 20분을 넘기기 어렵다. 따라서 수업 시작 후 10~20분이 지나면 신경전달물질이 고갈된 학생들은 이내 집중에 어려움을 느끼고 주의가 산만해진다. 그래서 유튜브 영상의 평균 길이는 15~20분이고, 테드(TED) 강연 길이는 18분이다. 집중력을 감안해 메시지를 확실히 전달하기 위한 시간이다. 드롭박스의 마케팅 신화를 쓴 실리콘밸리 최고의 마케터 션 앨리스(Sean Ellis)가 한 말을 약간 각색하여 들어보자.

"고객의 주의집중을 원하신다고요? 사업 규모의 확장을 위해서는 시장이 원하는 언어를 사용해야 합니다. 언어의 시장 적합성이 무엇보다 중요하죠. 잠재 고객의 마음을 움직일 수 있는 말을 상상해 보세요. 당신이 만든 제품을 고객이 마주할 때 어떻게 해야 가장 효율적으로 전달할 수 있을지 생각해 보셨나요? 고객이 좋아하지 않는 언어로 구애한다면 실패입니다. 제품 가치를 알아줄 상대방이 없는 곳에서 헛스윙을 하는 거라고 생각하면 됩니다." 여기서 왜 고객의 마음을 끌어당길 언어에 몰두해야 하는지 그 이유가 나온다. 스마트폰이 생기기 전 고객이 광고에 집중할 수 있는 시간은 12초였다. 이제는 8초로 뚝 떨어졌다. 9초인 금붕어보다 못하다.

주의집중 시간의 변화
12초 - 2000년 인간의 평균 주의집중 시간
8초 - 2015년 인간의 평균 주의집중 시간
9초 금붕어의 주의집중 시간

인간의 평균 주의집중 시간 인간의 평균 주의집중 시간 금붕어의 주의집중 시간 왜 이런 일이 발생했을까? 주변의 수많은 자극에 적응하다 보니 주의력이 줄어들었다는 것이 통설이다. 생각해 보라. 우리는 매일매일 넘치는 정보의 홍수 속에서 살아가고 있다. 수시로 오는 문자와 카카오톡 메시지, 귀찮아 들여다보지도 않는 이메일처럼 하루하루 우리의 신경을 산만하게 하는 요소가 차고 넘친다. 그 결과 집중해서 주의를 지속하는 시간이 줄어드는 것은 당연한 결과다. 게다가 여러 일을 한꺼번에 하는 멀티태스킹형 업무 방식에 길들여진 젊은 세 대에게 이런 현상은 더욱 심각하게 다가올 수밖에 없다.

뇌 신경세포를 뜻하는 뉴런과 마케팅의 합성어인 뉴로 마케팅(Neuro Marketing)의 연구 결과를 보자. 브랜드의 색상이 소비자로 하여금 다양한 감정을 불러일으킨다고 한다. 소비자들이 상품을 구매하는 데 있어 시각적 효과가 약 95%를 차지한다고 하니, 디자인과 색감이 큐레이터에게는 아주 중요하다.

색은 브랜드를 인식하는 강력한 수단으로, 그리고 소비자의 신뢰를 확보하는 무기로 작용한다. 빨간색 코카콜라와 초록색 스타벅스 로고가 소비자의 지갑을 열게 하는 강력한 마케팅 도구로 활용되고 있다는 것은 마케팅 세계에서는 익히 아는 이야기다.

《감정 경제학》

금붕어의 집중력이 9초인데 지금 시대 사람들의 집중력이 8초라는 말이 씁쓸하기만 하다. 지금시대 사람들의 심리를 알려주는 내용이었다.

어떤 분야든 지금 시대 사람들의 상태, 심리를 알아야만 공격적으로 영업, 마케팅을 할 수 있고 자신 분야 제품을 알릴 수 있는 것이다.

시각적인 효과가 95%를 차지한다는 것은 어마어마한 것이다. 그래서 책 콘셉트에 디자인이 중요하다고 말을 하는 것이다. 다시 한 번 강조하겠다. 사람들이 선호하는 책 콘셉트는 작가의 글을 뒷받침해주는 스토리텔링에 핵심 정리를 시켜줄 이미지 디자인이다.

예시)

작가 글(세 번째, 작가의 글을 뒷받침해 주는 스토리텔링이라는 99℃ 물에서 1℃를 올려 끓게 만드는 이미지 디자인)+ 스토리텔링(금붕어 스토리텔링)+ 이미지 디자인

- 초고 내용 (1개월 안에 끝내기? 여유를 가지고 끝내기?)

대부분 작가들이 초고는 최대한 빠르게 작업해야 한다고 알고 있다. 시중에 있는 책 쓰기 책, 책 출간 책들을 보면 평균적으로 말하는 초고 기간은 1년, 6개월, 3개월, 1달 안에 해야 된다. 라고 알고 있다. 될 수 있으면 초고를 빠른 시간 안에 끝내는 게 좋다. 그 이유는 글빨, 글 영감이 한번 집중해서 쓸 때 잘 나오고 글이 살아나기 때문이다. 초고 쓰는 기간이 길어지면 글을 쓰는 동기부여도 약해져서 책을 쓰는 열정이 식기 때문이다.

20,000명 심리 상담, 코칭, 종이책 150권, 전자책 250권 총 400권 책을 출간하면서 알게 된 것은 초고를 빠르게 작업해야 된다는 말은 49%만 맞다. 51%는 아니다. 49%만 맞는 이유는 책 쓰기, 책 출간이 직접적으로 자신 직업과 연관이 되어 시간의 여유가 없고 돈을 벌기 위함이라면 최대한 빠르게 단시간 안에 초고 작업을 끝내는 게 맞다. 하지만 책 쓰기, 책 출간이 직접적으로 자신 직업과 연관이 없고 시간적 여유가 있는 책 쓰기, 책 출간이라면 시간이 걸리더라도 상관은 없다.

자신 스타일, 자신 상황에 맞는 초고 작업을 하면 되는 것이다.

평균적으로 초고 내용 작업은 한글 파일(HWP)에서 한다. 출판사마다 원고 기준이 다르지만 평균적으로 초고 기준을 알려주겠다.

한글 파일(HWP) → 편집 → 쪽 여백 → 쪽 여백 설정 → A4(국내판:210*297mm) → 용지 방향 세로 → 제본 맞쪽.

글자체: 바탕
글씨 크기: 10pt
줄 간격: 160%
장평 100%
사진 포함 시 '문서에 포함' 체크

쪽수는 100쪽 이상 써야지만 평균 책 한 권 250페이지 양이 나온다.

초고때 한글 파일(HWP) 100쪽에 써야 된다. 1쪽을 하루, 3일, 1주일 등으로 나누어 초고를 써야 한다. 1주일에 1쪽씩 쓴다고 가정했을 때 1년이 총 52주이기 때문에 52쪽이 나온다. 1주일에 2쪽이면 104쪽이 나온다.

초고를 쓸 때 가장 중요한 것이 있다. 대부분 책 쓰기 책들이 말하는 것은 "표준어를 써야 되고 비속어는 쓰면 안 되며 사투리, 욕이 들어가면 안 되고... 등 자연스럽게 읽을 수 있고 거부감 없는 말투로 써야 된다."라고 나와 있다.

필자가 경험상 어떤 책이냐에 따라 다르다고 생각한다. 교재나, 학습용, 교육용, 전문 지식을 전달하는 책을 쓴다면 당연히 자제를 해야 되지만 대부분 일반적인 책이기에 일반적인 책이라면 표준어에 맞춰서만 쓰면 되는 것이다. 특히 처음 책을 쓰는 사람이라면 더더욱 힘들 것이다. 몇 글자 쓰고 맞춤법 검사기로 표준어 검사해서 쓴다면 몇 백 년은 걸릴 것이고 책 한 권 쓰다가 인생 끝난다.

초고를 빠른 시간에 쓰면 좋겠지만 글 빨, 글 내공이 있지 않는 한 머리에 뒤죽박죽 섞여 있는 내용을 글로 옮긴다는 게 어렵다. 사람마다 다를 수 있지만 필자는 책 10권을 출간 했을 때 글 빨, 글 내공이 나왔다. 방탄 book기술력 코칭 해보면 코칭 받는 사람들이 늘 하는 말이 있다. "머리에는 있는데 글로 표현하려니 잘 안됩니다."라는 하소연을 하는 사람들이 많았다. 누구나 겪는 인고의 시간이다. 그 시간을 극복해야만 글 빨, 글 내공이 나오는 것이다.

방탄book기술력 코칭 할 때 알려주는 팁을 한가지 오픈 하겠다. 머리에 있는 내용이 글로 표현하기가 어려울 때 최고의 방법은 녹음을 한 다음 녹음 한 것을 필사하면 된다. 필사하는 것 또한 쉽지 않다. 녹음한 것을 플레이 하고 정지해서 한 문장 필사하고 계속 반복한다는 것이 쉽지는 않다. 그래서 도구를 사용 하면 되는데 녹음했던 파일을 텍스트로 변환해 주는 프로그램을 사용 하더라 도 정확도가 떨어지기에 다시 체크를 해야 한다. (네이 버 검색: 클로바 노트)

필사 목적이 오로지 책을 출간하기 위한 동기부여만 있 다면 금방 지친다. 그래서 여러 가지 필사 동기부여를 해야 한다. 책을 출간하는 동기부여도 있지만 머리에 있 는 것을 말로 하면 1차로 정리가 되고 필사를 하면 2차 로 정리가 되어 핵심 내용이 다듬어진다. 자신 전문 분 야를 필사한다면 매뉴얼, 자료화가 만들어져서 진정한 전문가로 거듭나고 자신 분야 삼성(진정성, 전문성, 신뢰 성)이 향상된다.

짝퉁 전문가는 말로만 설명한다. 설명도 정리가 되지 않 아 어렵게 말한다. 명품 전문가는 설명도 쉽게 하지만 글을 통해 매뉴얼, 자료화를 만든다. 필사를 많이 하거나 책을 많이 쓰는 사람들 특징은 말을 조리 있게 잘하고 상황, 상대방을 이해하는 능력이 좋다. 스피치에서는 당당함, 자신감, 열정이 느껴진다. 필사는 인고의 시간이 필요하지만 인고의 시간만큼 얻어 가는 것이 많다는 것을 명심하자.

#. 초고를 잘 쓰려면 5라를 해야 한다.
1. 표준어는 잊고 그냥 써라!
2. 사투리는 신경 쓰지 말고 그냥 써라!
3. 비속어 신경 쓰지 말고 그냥 써라!
4. 욕 신경 쓰지 말고 그냥 써라!
5. 생각나는 대로 그냥 써라!

초고는 평상시 가족들과, 친한 친구들과 대화하는 말투로 쓰면 된다. 그래야 부담 없이 머리에 있는 것이 나온다. 초고를 다 쓰면 교정, 교열은 전문가에게 맞기면 된다. 처음 책 쓰는데 너무 힘들게 쓰지 말라는 것이다.

정성스럽게 온 힘을 다해서 어렵게 쓰는 책과 대충 쓰는 책을 대하는 태도가 다르겠지만 처음부터 이것저것 신경을 너무 많이 써서 초고를 쓰면 빨리 지친다. 자신 전문분야가 아닌 일반 책을 쓸 거라면 힘을 빼고 쓰는 게 좋다.

마라톤 풀코스를 뛰어보고 알게 된 것이 있다. 마라톤에서 가장 중요한 것이 나다운 페이스다. 자신을 앞서가는 사람들 주위 사람들을 의식하는 페이스는 완주를 못한다. 초고 쓰기 완주를 하기 위해서는 나다운 글쓰기 페이스가 중요하다는 것이다.

방탄book기술력을 코칭 할 때 늘 하는 말이 있다. "최보규 방탄book기술력 창시자와 함께 한다면 온 힘을 다해, 온 정성을 다해 3대까지 가는 책을 쓰기 위해 집중해야 되지만 혼자 책을 쓴다면 동기부여해 줄 사람이

없기에 닥고(닥치고 무조건 고고고)해야 합니다. 방탄 book기술력을 만난 건 천재일우(천 년에 한 번 만난다는 뜻으로 좀처럼 만나기 어려운 기회)라 생각하시고 믿고 따라오시면 됩니다. 책 쓰기, 책 출간, 인생 페이스메이커가 되어 주겠습니다."

20,000명 심리 상담, 코칭으로 알게 된
20,000명이 바라는 책 쓰기, 책 출간 교육, 코칭

 # 10가지

1 한번 출간한 책으로 평생 활용하는 방법을 알려주는 교육, 코칭

2 로또 2등과 같은 기획출판을 하기 위해서 출판기획서 제작 스트 레스, 거절 메일을 확인 하는 스트레스, 370가지 스트레스... 등 마음고생 덜 하고 책 출간할 수 있는 책 쓰기 교육, 코칭

3 책 활용 수입 창출 시스템 교육을 검증 된 전문가에 게 한 곳에서 시간, 돈 낭비를 줄여주는 책 쓰기 교 육, 코칭

4 한번 코칭으로 100년 a/s, 피드백, 관리해 주는 책 쓰기 교육, 코칭

5 책 출간 후 자신 분야 삼성(진정성, 전문성, 신뢰성) 을 높여 자신 분야 내공, 가치, 몸값까지 올릴 수 있 는 책 쓰기 교육, 코칭

출간한 책으로 강사가 되어 은퇴 후 제2의 직업을 할 수 있는 책 쓰기 교육, 코칭

 책 출간 후 자신 분야 코칭 전문가가 되어 은퇴 후 제3의 직업까지도 할 수 있는 책 쓰기 교육, 코칭

 책 출간 후 온라인 콘텐츠까지 제작을 해서 비수기 없는 책 쓰기 교육, 코칭

 책 출간 후 디지털 콘텐츠까지 제작을 해서 월세, 연금성 수입까지 발생시킬 수 있는 책 쓰기 교육, 코칭

 책 한 권 출간하고 끝나는 것이 아니라 100년 동안 책을 무한대로 출간 할 수 있는 책 쓰기, 책 출간 기술력을 교육, 코칭

책 쓰기, 책 출간 교육, 코칭은 누구나 한다.
6가지 수입 창출 책 쓰기, 책 출간
교육, 코칭은 방탄BOOK 창시자 뿐이다.

3) 퇴고, 탈고의 본질

한글(HWP)원고 작업에 마지막 단계인 퇴고, 탈고다.

책 쓰기 5단계
원고 → 초고 → 퇴고 → 탈고 → 투고

원고는 책을 쓰기 위한 한글(HWP)원고 기본 규격 세팅
단계다.
초고는 초벌로 쓴 원고다.
퇴고는 원고를 고쳐 쓰는 단계다.
탈고는 원고를 마무리하는 단계다.
투고는 마무리 한 원고를 출간하기 위해 출판사에 보내
는 단계다.

투고의 해석 "내 원고 한번 읽어 보고 대중적으로 인기
가 있을 거 같거나 돈이 될 거 같으면 1,000만 원 ~
3,000만 원 투자해서 출간 해주세요." 라는 직설적인 의
미가 있다.
이것을 로또 2등과 같다고 하는 기획출판이라고 한다.
그래서 아무나 기획출판을 하지 못한다. 필자의 대표적
인 기획 출판의 책이 《나다운 방탄멘탈》이다. 300개가
넘는 출판사에 출판 기획서를 만들어서 보냈다. 거절 메

일이 몇 개가 왔을 거 같은가? 누군가는 투고 스트레스 때문에 원형 탈모가 오고 소화불량, 우울증까지 걸린 사람도 있다. 당연한 것이다. 1,000만 원 ~ 3,000만 원 (책 한 권 작업하는 모든 비용인 인건비, 책 부수, 홍보비, 유통비, 물류비…)을 투자해 주는데 아무나 기획출판을 해주겠는가? 출판사에서는 리스크를 감수하고 기존에 경험과 가능성으로 기획출판을 하기 위해서 신중에 신중할 수밖에 없다. 하루 만에도 대형 출판사에 평균 투고 원고가 100개 이상이 온다고 한다.

그래서 대부분 책 출간하는 사람들이 자비출판, 대필 출판을 한다. 돈만 있으면 투고 스트레스 없이 책을 출간할 수 있기 때문이다. 그래서 시간의 여유가 없고 책 쓰기를 해보지 않은 사람들, 국회의원, CEO, 유명인사들 대부분이 대필 출판을 한다. 대필 출판이 불법, 이상한 것이 아니다. 머릿속에 있는 내용을 말로는 하기 쉬운데 글로 쓰고 정리하는 것이 힘들기에 대필 전문가에게 의뢰를 해서 책을 출간한다. 자비 출판은 자신이 써 놓은 원고가 있는 상태에서 100만 원 ~ 500만 원 들어가고 대필 출판은 원고가 없어도 가능하며 기본 400만 원 ~ 1,000만 원까지 들어간다. 대필 출판은 책 출간이 아니라는 말이 있다.

'책을 출간 한다.'기 보다는 '책을 산다.'라는 말이 더 가깝다. 그래서 원고를 직접 써본 사람과 안 써본 사람 차이는 하늘과 땅 차이다. 대필 출판인지 아닌지 알 수 있는 방법이 있다. 그것은 방탄book기술력 코칭 때 배우게 된다.

책을 한 권 출간하면 2권 ~ 3권을 출간할 수 있는 가능성이 생기고 2권 ~ 3권을 출간하면 10권을 출간할 수 있는 가능성이 생기며 10권을 출간하면 100권을 출간할 수 있는 가능성이 생긴다. 한마디로 한 가지를 이루면 더 큰 것을 이룰 수 있는 개미 성취감이 누적되어 상상할 수 없는 결과가 나오는 것이다.

필자가 종이책 150권, 전자책 250권 총 400권 출간할 수 있는 비결 중에 한 가지가 독립(개인, 자가)출판인 방탄book기술력으로 출간 했다는 것이다.

지금 당신이 보고 있는 이 책의 내공, 가치 값어치가 책값의 1억 배는 가져간다는 것을 명심해야 한다. 단언컨대 대한민국, 세계 어디에서도 방탄book기술력을 배울 수 없다. 오직 방탄book사관학교에서만 가능하다.

4) 책 출간을 위한 체크리스트
- 오타 확인 (오타 체크를 하면 할수록 계속 나오는 이유)

다음은 오타 체크를 하면 할수록 계속 나오는 이유가 왜 그러는지 깨닫게 해주는 내용이다.

출간 후 대놓고 보이는 오타! 왜 여러 번 퇴고해도 못 찾을까? 읽지 않고 보기 때문이다. 내가 쓴 글은 이미 내용을 잘 알고 있다. 이 문장 다음에 무슨 내용이 나올지 이미 안다. 출판사 교정 교열 담당자도 마찬가지. 여러 차례 반복해서 읽다 보면 자연스럽게 내용이 외워진다. 그렇게 되면 '읽는다.'고 생각하지만 착각이다. 실제로는 그저 눈으로 '보기만' 한다.

글 전체를 텍스트가 아니라 하나의 이미지로 인식하는 것이다. 그러니 첫 줄부터 대놓고 오타가 있어도 발견하지 못하는 일이 생긴다. 남이 쓴 글에 오타가 잘 보이는 이유기도 하다. 내용을 모르니 자세히 '읽기' 때문이다.

이것이 퇴고 과정에서 한 번은 소리 내어 읽어야 하는 이유다. 김영하 작가님의 책 <보다 읽다 말하다>라는 제목이 정답을 말하고 있다. 보지 말고 입으로 소리 내어 읽어야 한다.

<네이버 블로그 카루의 프리랜서 라이프>

오타 체크하는 방법이 여러 가지가 있다. 필자가 하는 방법을 소개하겠다. 네이버 맞춤법 검사, 한국어 맞춤법/문법 검사기다. 가장 많이 사용하는 것이 네이버 맞춤법 검사기다. 100% 정확하지는 않지만 간접적인 퇴고하기 위한 오타 체크로는 쓸만하다.

필자가 하는 방식은 이렇다.
1차로 작업해 놓은 원고 내용을 복사해서 네이버 맞춤법 검사기에 300자 이하로 붙여 넣기 하고 몇 백번 반복으로 전체 원고 오타 체크한다. 2차로 직접 목소리를 내면서 읽고 오타 체크를 한다. 3차로 원고 전체 인쇄를 해서 3자에게 오타체크를 부탁한다. (같은 분야 종사자, 책 분야 종사자, 아내, 친구, 지인...)

원고 퇴고는 오로지 글 오타 체크가 주목적이 아니다. 퇴고의 주목적은 자신이 쓴 글을 다시금 정리하고 다듬어서 자신 분야 삼성(진정성, 전문성, 신뢰성)을 향상, 선한 영향력을 끼치기 위한 인생, 사람들에게 도움이 되는 인생, 세상에 필요한 사람이 되기 위한 인생, 지혜로운 인생을 살아가기 위한 행동을 하게 만드는 작업이다.

퇴고를 편하게 하고 싶다면 교정, 교열 전문가에게 맡겨도 된다.

A4 기준 / 글자 크기 10 / 줄 간격 160%
장당 1,000원 ~ 10,000원
(100페이지: 1,000*100= 100,000원)
(100페이지: 5,000*100= 500,000원)
A5는 500원 ~ 5,000원

전문가 일지라도 100% 오타 체크가 되지 않는다. 1차 체크하고 받아서 자신이 체크하고 다시 보내면 2차 체크하고 자신이 체크하는 식으로 3차까지 하고 3차 이후에는 추가 비용이 발생한다.

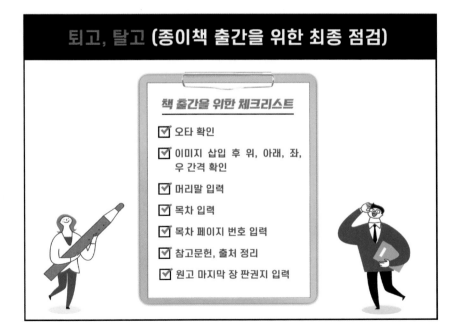

한글(HWP)원고에 JPEG 파일을 삽입 하면 JPEG 이미
지가 한글 규격 세팅해 놓은 규격대로 위, 아래, 좌, 우
변화 없이 삽입되는데 줄 간격은 맞지 않아서 이미지를
한 장씩 맞춰 줘야 한다.

- 머리말 입력

머리말의 국어사전 뜻.

책이나 논문 따위의 첫머리에 내용이나 목적 따위를 간략하게 적은 글. 말이나 글 따위에서 본격적인 논의를 하기 위한 실마리가 되는 부분.

<국어사전>

간단히 정리를 하면 책이 추구하는 목표, 방향이라고 생각하면 된다. 다음으로 나오는 2권의 책 머리말을 참고하자. 《300만원 동기부여 강의》, 《1조 리더십 강의》

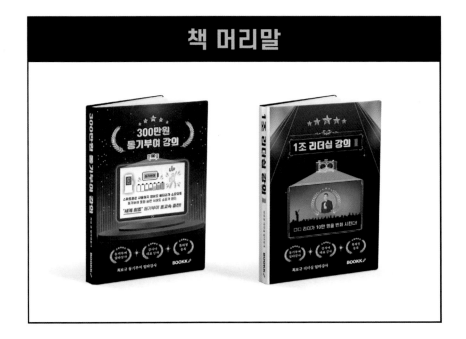

방탄동기부여 PPT를 《300만원 동기부여 강의》 책으로 출간 했던 머리말.

머리말

세상에 동기부여 못하는 사람은 없다. 단지 동기부여 잘 하는 방법을 모를 뿐이다.

특허청 등록! 등록 번호: 제 40-2072344 호

[최보규 자기계발코칭 창시자]

20,000명 심리 상담, 코칭 / 15년 2,000권 독서

자기계발서 100권 출간 / 강사 15년, 강의 6,000회

7G 직업

(출판사 대표, 작가, 심리 상담사, 코칭 전문가, 강사, 유튜버, 한집의 가장)

45년간 습관 320가지 만듦...

많은 경력과 시행착오, 대가 지불, 인고의 시간을 통해 알게 된 동기부여를 세계 최초로 공개한다.

스마트폰은 사용하지 않아도 배터리가 소모되듯 동기부여 또한 숨만 쉬어도 소모가 된다. 누군가에 의해서 충전하면 하루(1일) 가지만 초고속 충전하는 방법을 알면 100년 지속할 수 있다.

어떤 강의에서도 말하지 못한 동기부여!
어떤 강사도 말하지 못한 동기부여!

어떤 책에도 없는 동기부여!
어떤 영상에서도 볼 수 없는 내용의 동기부여!

방탄리더십 PPT를 《1조 리더십 강의》 책으로 출간 했던 머리말.

머리말

3고(고물가, 고금리, 고환율) 시대, 포노 사피엔스 시대, 4차 산업 시대, AI시대, 챗GPT 시대... 빠르게 변하는 현실 속에서 점점 더 힘들어지는 상황을 극복하고 차별화 리더십이 아닌 초월 리더십으로 업데이트하기 위한 방탄리더십 5단계 시스템!

1단계
노벨상 수상자 리더십, 성공한 리더의 리더십은 다 잊어라! 4차 산업 시대는 4차 리더십인 방탄 리더십 업데이트를 통해 천재지변 리더가 아닌 천재일우 리더
2단계
스트레스 관리, 마인드컨트롤이 잘 되는 리더 자존감, 멘탈 배터리 고속 충전하는 방법
3단계
삼성(진정성, 전문성, 신뢰성)을 높이는 습관을 통해 리더 행복 초고속 충전하는 방법
4단계

리더 자기계발, 동기부여책 200권, 영상 300개, 교육을 들어도 리더 자기계발, 동기부여가 안 되는 이유

5단계

퇴사를 막고 인재가 오래 머물게 하는 방탄 리더 품위 유지의무 10계명

리더는 누구나 하지만 방탄 리더는 아무나 못한다.

방탄 리더 1명이 10만 명을 변화시키고 먹여 살린다.

누구나 방탄 리더가 될 수 있었다면 난 절대로 방탄 리더를 선택하지 않았을 것이다.

어떤 강의에서도 말하지 못한 리더십!

어떤 강사도 말하지 못한 리더십!

어떤 책에도 없는 리더십!

어떤 영상에서도 볼 수 없는 내용의 리더십!

최보규 천재일우 멘토
천재일우 멘토 코칭전문가

"당신은 제가 좋은 사람이 되고 싶도록 만들어요!" 라는
마음을 들게 하여 실천하게 만드는
천재일우 멘토가 되어 주겠습니다.
잘난 멘토가 아닌 진실한 멘토가 되어 주겠습니다.
대단한 멘토가 아닌 좋은 멘토가 되어 주겠습니다.
멋진 멘토가 아닌 따뜻한 멘토가 되어 주겠습니다.
유명한 멘토가 아닌 필요한 멘토가 되어 주겠습니다.

천재일우 멘토 코칭전문가

목차는 책 전체 흐름을 알려주는 곳이고 책을 구매할 때 디테일하게 보는 곳이다. 그래서 시중에 같은 분야에 있는 책들과 차별화를 느낄 수 있는 목차 문구를 만들어야 한다.

책 내용과 동떨어지지 않고 "어라! 이 책 목차는 같은 분야에 책들과 다르다. 신선하다. 호기심이 생긴다."라는 느낌을 주어야 한다. 다음으로 나오는 출간했던 《300만 원 동기부여 강의》 책 목차를 참고하자.

책 목차

목차 입력

- 목차 페이지 번호 입력

원고 1페이지부터 마지막 페이지까지 한 장씩 보면서 페이지 번호를 입력하면 된다. 페이지 번호가 틀리면 안 되기에 페이지 번호 입력한 다음에 한 번 더 확인해 주면 좋다. 방탄동기부여 PPT를 《300만원 동기부여 강의》 책으로 출간했던 목차 페이지 번호를 참고하자.

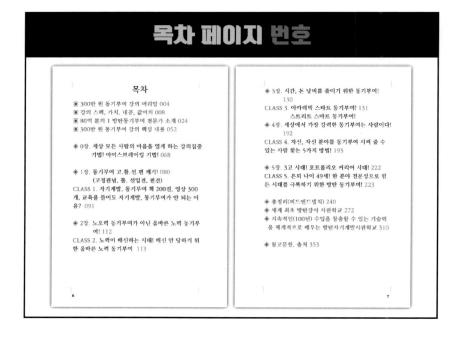

- 참고문헌, 출처 정리

이미지, 스토리텔링, 책에서 발췌한 스토리텔링, 기사 내용, 보도 자료, 영상 정리한 내용, 유튜브 영상을 정리한 내용 등이 있다면 출처를 정확하게 밝혀야 한다.
출처를 남기지 않아 법적 조치(저작권법)를 당할 수도 있다는 것을 명심하자.

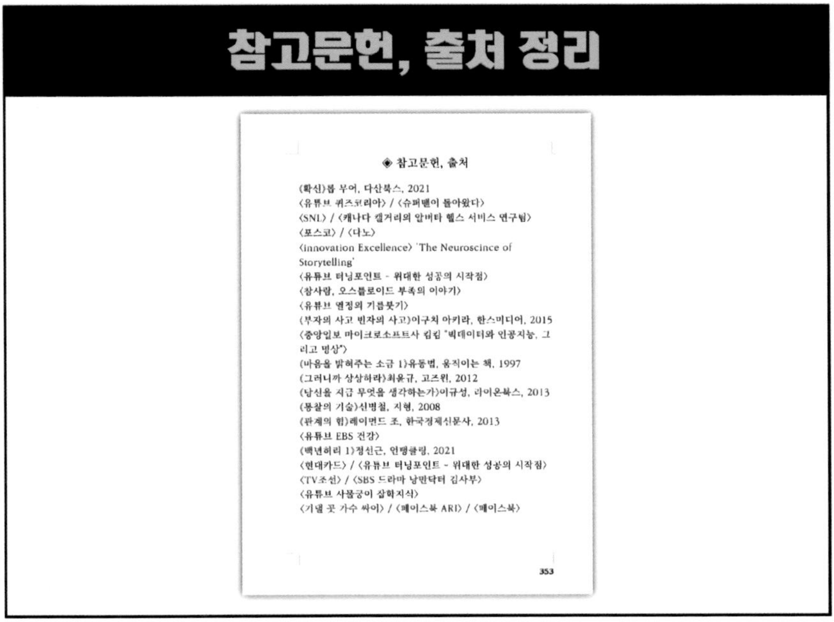

◈ 참고문헌, 출처

〈확신〉롭 무어, 다산북스, 2021
〈유튜브 퀴즈코리아〉 / 〈슈퍼맨이 돌아왔다〉
〈SNL〉 / 〈캐나다 캘거리의 알버타 헬스 서비스 연구팀〉
〈포스코〉 / 〈다노〉
〈innovation Excellence〉 'The Neuroscince of Storytelling'
〈유튜브 터닝포인트 - 위대한 성공의 시작점〉
〈참사람, 오스틀로이드 부족의 이야기〉
〈유튜브 열정의 기름붓기〉
〈부자의 사고 빈자의 사고〉이구치 아키라, 한스미디어, 2015
〈중앙일보 마이크로소프트사 킵킵 "빅데이터와 인공지능, 그리고 명상"〉
〈마음을 밝혀주는 소금 1〉유동범, 움직이는 책, 1997
〈그러니까 상상하라〉최윤규, 고즈윈, 2012
〈당신은 지금 무엇을 생각하는가〉이규성, 라이온북스, 2013
〈통찰의 기술〉신병철, 지형, 2008
〈관계의 힘〉레이먼드 조, 한국경제신문사, 2013
〈유튜브 EBS 건강〉
〈백년허리 1〉정선근, 언탱글링, 2021
〈현대카드〉 / 〈유튜브 터닝포인트 - 위대한 성공의 시작점〉
〈TV조선〉 / 〈SBS 드라마 낭만닥터 김사부〉
〈유튜브 사물궁이 잡학지식〉
〈기념 곳 가수 싸이〉 / 〈페이스북 ARI〉 / 〈페이스북〉

353

- 원고 마지막 장 판권지 입력

출판의 중요한 정보가 있는 마지막 페이지다.
bookk출판사 양식을 참고하고 이미지는 출간 승인 완료
된 《300만원 동기부여 강의》 책 판권지다.

어린 왕자(제목을 적어주세요)

발   행 | 2024년 00월 00일
저   자 | 생텍쥐 페리(저자명, 필명을 적어주세요)
펴낸이 | 한건희
펴낸곳 | 주식회사 부크크
출판사등록 | 2014.07.15.(제2014-16호)
주   소 | 서울특별시 금천구 가산디지털1로 119 SK트윈
타워 A동 305호
전   화 | 1670-8316
이메일 | info@bookk.co.kr

ISBN |

www.bookk.co.kr
ⓒ 생텍쥐 페리 2024
본 책은 저작자의 지적 재산으로서 무단 전재와 복제를
금합니다.

판권지
(종이책 출간을 위한 최종 점검)

300만원 동기부여 강의
(동기부여 일타강사! 동기부여 사용 설명서!)

발 행 | 2023년 11월 11일
저 자 | 최보규
편 집 | 서윤희
디자인 | 최보규
마케팅 | 최보규
펴낸이 | 한건희
펴낸곳 | 주식회사 부크크
출판사등록 | 2014.07.15.(제2014-16호)
주 소 | 서울특별시 금천구 가산디지털1로 119 SK트윈타워 A동
305호
전 화 | 1670-8316
이메일 | info@bookk.co.kr

ISBN |

www.bookk.co.kr

354

★ 당신에게 유페이퍼출판사가 왜! 천재일우인가? (무료 전자책 출간)

먼저 유페이퍼출판사에 대해서 알아야 한다. 유페이퍼출판사는 대한민국의 전자책 오픈마켓 서비스를 제공하는 회사다.

개인이 전자책을 만들어서 서점에 유통할 수 있는 방법이 여러 가지가 있지만 개인적으로 유통 한다는 게 쉽지 않다. 개인적으로 하기 힘든 사람들을 위해서 유페이퍼가 일반 서점과 연결시켜주는 중간 역할을 한다. 전자책이 팔리면 소정에 수수료가 발생하고 정산을 해서 작가에게 가는 시스템이다. 제휴사 : 유페이퍼 : 판매자는 3:1:6의 구조라고 보면 된다.
(제휴사: 예스24, 알라딘, 교보문고, 리딩락, 북큐브,밀리의서재, 부커스, 윌라)

당신에게 유페이퍼출판사가 왜! 천재일우일까? 자신이 무엇인가 시작하려 할 때 세상, 현실 기준이 태클을 건다. 세상, 현실 기준인 스펙, 돈, 인맥, 실력이 없으면 시작할 수 없는 환경이 되어있다. 이런 환경에서 스펙, 돈, 인맥, 실력이 없어도 돈을 벌수 있는 기회가 주어진다면? 하겠는가? 가장 큰 걸림돌인 스펙, 돈, 인맥, 실력이 없어도 할 수 있다면 무엇을 망설이겠는가? 무조건 해야 된다. 당연한 것이다. 안 하면 바보다. 몰랐으면 모를까 안다면 무조건 해야 된다.

물건 파는 장사로 예를 들겠다. 전자책도 한 권 출간하면 물건처럼 팔리기 때문이다. 물건을 파는 장사꾼이라면 월세, 물건 관리비, 배송비, 보관비, 인건비, 홍보비... 등 여러 가지 비용이 발생하고 신경 써야 될 것이 한두 가지가 아니다. 하지만 전자책 한 권을 만들어서 유페이퍼에 전자책을 등록했다면 장사를 할 때 나가는 월세, 물건 관리비, 배송비, 보관비, 인건비, 홍보비... 등을 유페이퍼에서 다 해준다는 것이다.

자신은 전자책만 써서 유페이퍼에 등록만 하면 된다는 것이다. "당신에게 유페이퍼출판사가 왜! 천재일우일까?"라는 말이 이제는 이해가 가는? 당연히 글을 쓴다는 게 쉽지는 않을 수 있다. 일단 글을 쓴다는 게 쉽지 않다는 것을 제외하면 1차원적으로 봤을 때 전자책을 유페이퍼에서 출간한다는 것은 단점이 10% 라면 장점이 90%라는 것이다. 가장 큰 장점은 전자책 한번 출간을 하면 지속적인 수입이 발생한다는 것이다. 전자책 한 권 만들어 재능마켓(크몽, 탈잉, 클래스101...등)에 등록하면 여러 가지 수입을 창출할 수도 있다는 것이다. 요즘 대세고 앞으로도 대세인 무인시스템을 구축 할 수 있다는 것이다.

20,000명 심리 상담, 코칭으로 알게 된 사람들이 바라는 6가지 무인 시스템!
1. 커피숍에서 지인과 대화 중에도 돈이 입금되는 무인 시스템?
2. 자고 있는데 돈을 버는 무인 시스템?
3. 여행 중에도 돈이 입금되는 무인 시스템?
4. 사무실, 직원이 필요 없는 무인 시스템?
5. 건물주처럼 월세가 입금되는 무인 시스템?
6. 집에서 댕댕이와 휴식하고 있는데 돈이 입금되는 무인 시스템?

전자책 출간으로 6가지 무인 시스템이 가능하다면 무조건 해야 되는 거 아닌가? 안 하면 바보인 것이다.

필자가 지금까지 종이책 150권, 전자책 250권 총 400권을 출간했다. 출간한 책 권수만 보면 학창 시절부터 책 쓰는 작가, 정규코스를 거쳐서 책을 쓰는 것처럼 보이지만 전혀 그렇지 않다. 필자의 본업은 동기부여 강사, 자기계발 코칭 전문가, 방탄book기술력 코칭 전문가이다. 건축을 전공했고 강사일을 하기 전에 책 쓰는 일과 전혀 상관없는 일을 했던 사람이었다. 학창 시절부터 필자의 글씨는 악 필이었다. 그래서 글씨 쓰는 것을 싫어하는 정도가 아니라 콤플렉스라 생각하는 사람이었다. 글 쓰는 일, 책 출간 직업과 전혀 상관없는 일을 하다가 어떻게 6년 동안 종이책 150권, 전자책 250권 총 400권을 출간을 했을까? 책 쓰기, 책 출간 방법이 아니라 책 쓰기, 책 출간 기술력을 알고 있기 때문에 가능 했다는 것이다. 책 쓰기, 책 출간 방법을 배우면 한 권 출간 하지만 방탄book기술력을 배우면 10권, 100권, 200권... 을 출간할 수 있다는 것이다.

누군가는 전자책 출간 방법을 배워서 전자책 1권만 출간한다.
누군가는 전자책, 종이책 출간 방법을 배워서 전자책, 종이책을 동시에 출간한다.
누군가는 전자책, 종이책 출간 기술력을 배워서 전자책, 종이책을 동시에 출간 하고 끝나는 것이 아니라 방탄book기술력(수입 창출 6가지 시스템)과 연결하여 6가지 수입을 발생 시킨다.
당신이라면 어떤 선택을 할 것인가? 그래서 당신에게 유페이퍼출판사가 천재일우라고 하는 것이다. 당신에게 천재일우인 유페이퍼 등록 매뉴얼 무인 시스템 설명 시작한다.

당신에게 유페이퍼출판사는
천재일우

스펙, 돈, 외모, 인맥... 아무것도 없는 사람에게 유페이퍼출판사는 천재일우 멘토다! 자신 경력, 자신 분야 전문성을 활용하여 전자책을 0원으로 출간하여 24시간 수입 창출 무인 시스템을 만들 수 있다.

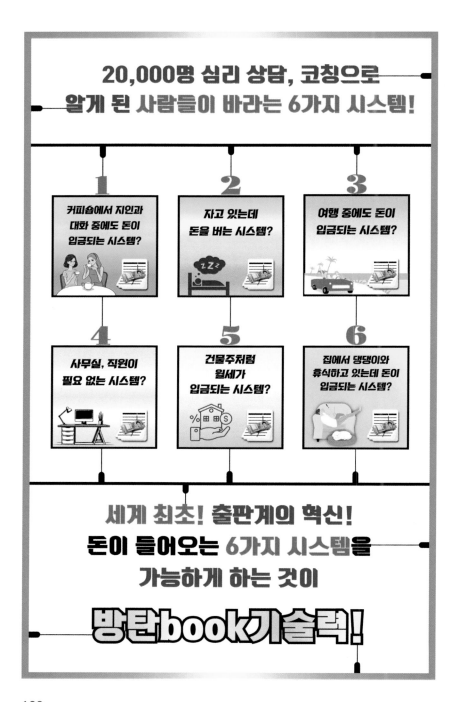

평균 희망 은퇴 73세, 현실 은퇴 나이 49세!
100세 시대 언제까지 몸(노동)으로만
일해서 돈을 벌 것인가?

세상, 현실 기준에서 스펙, 돈, 인맥, 자산 등이 없어서 100세까지 노동을 해야 되고 몸까지 아프면 더 답이 없는 상황! 젊을 때는 100가지 중 99가지를 할 수 있지만 나이 들면 100가지 중 99가지를 할 수 없다. 3고 시대, AI 시대, 챗 GPT 시대에 자신의 직업이 사라 질 수 있는 상황에서 어떻게 준비, 대비할 것인가?

 방탄BOOK기술력
선택이 아닌 필수!

20,000명 심리 상담, 코칭으로 알게 된 20,000명이 바라는 책 쓰기, 책 출간 교육, 코칭

 10가지

1 한번 출간한 책으로 평생 활용하는 방법을 알려주는 교육, 코칭

2 로또 2등과 같은 기획출판을 하기 위해서 출판기획서 제작 스트레스, 거절 메일을 확인 하는 스트레스, 370가지 스트레스... 등 마음고생 덜 하고 책 출간할 수 있는 책 쓰기 교육, 코칭

3 책 활용 수입 창출 시스템 교육을 검증 된 전문가에게 한 곳에서 시간, 돈 낭비를 줄여주는 책 쓰기 교육, 코칭

4 한번 코칭으로 100년 a/s, 피드백, 관리해 주는 책 쓰기 교육, 코칭

5 책 출간 후 자신 분야 삼성(진정성, 전문성, 신뢰성)을 높여 자신 분야 내공, 가치, 몸값까지 올릴 수 있는 책 쓰기 교육, 코칭

출간한 책으로 <u>강사가 되어 은퇴 후 제2의 직업</u>을 할 수 있는 책 쓰기 교육, 코칭

 책 출간 후 자신 분야 코칭 전문가가 되어 은퇴 후 <u>제3의 직업</u>까지도 할 수 있는 책 쓰기 교육, 코칭

8 책 출간 후 온라인 콘텐츠까지 제작을 해서 <u>비수기 없는</u> 책 쓰기 교육, 코칭

9 책 출간 후 디지털 콘텐츠까지 제작을 해서 <u>월세, 연금성 수입까지 발생</u>시킬 수 있는 책 쓰기 교육, 코칭

10 책 한 권 출간하고 끝나는 것이 아니라 <u>100년 동안 책을 무한대로 출간</u> 할 수 있는 책 쓰기, 책 출간 기술력을 교육, 코칭

책 쓰기, 책 출간 교육, 코칭은 누구나 한다.
<u>**6가지 수입 창출 책 쓰기, 책 출간**</u>
<u>**교육, 코칭은 방탄BOOK 창시자 뿐이다.**</u>

191

최보규 천재일우 멘토
천재일우 멘토 코칭전문가

"당신은 제가 좋은 사람이 되고 싶도록 만들어요!" 라는
마음을 들게 하여 실천하게 만드는
천재일우 멘토가 되어 주겠습니다.
잘난 멘토가 아닌 진실한 멘토가 되어 주겠습니다.
대단한 멘토가 아닌 좋은 멘토가 되어 주겠습니다.
멋진 멘토가 아닌 따뜻한 멘토가 되어 주겠습니다.
유명한 멘토가 아닌 필요한 멘토가 되어 주겠습니다.

천재일우 멘토 코칭전문가

전자책 출판사 등록 매뉴얼

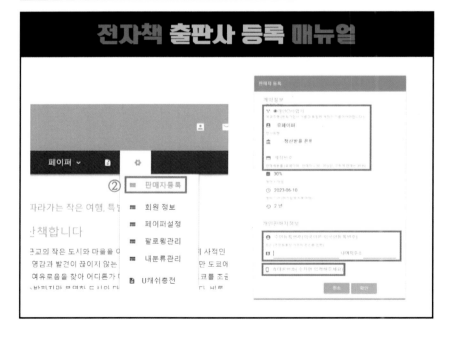

★ 유페이퍼출판사(전자책) 등록 매뉴얼

① 로그인. 회원가입 후 로그인
② 판매자 등록. 전자책을 판매하기 위해서 판매자 등록을 해야 한다. 개인 또는 사업자는 출판사를 보유하고 있거나, 사업자등록증을 보유한 경우에만 사업자를 선택하면 된다. 이름, 정산 받을 은행, 계좌번호(이름과 계좌번호 일치)입력하면 된다.

판매 배분율.
콘텐츠를 판매 후 기본 수익쉐어 배분율로 30%를 유페이퍼가 가지며, 70%를 정산해 준다.
판매자가 기간 구독제를 만들어 판매한 경우는 유페이퍼 20%, 판매자 80% 정산을 해준다.
유페이퍼에 판매 등록되는 콘텐츠는 국내외 전자책 제휴사에 자동 전송되어 판매가 이루어지는데 제휴사 판매분은 제휴사 배분율에 따라 차이가 있으나 기본적으로 이런 경우 유페이퍼에서는 10%를 수익으로 한다. 예를 들면 제휴사에서 30%를 수익으로 하고 유페이퍼에 70%를 넘겨주면 이중 유페이퍼 수익은 10%, 판매자 수익은 60%가 된다. 즉 제휴사 : 유페이퍼 : 판매자는 3:1:6의 구조가 된다.

계약 시작일, 계약기간

신청 당일 날짜로 판매자 전환하면 곧바로 콘텐츠를 판매 등록 가능하다. 계약기간은 별도 요청이 없으면 만기일에 해당 기간만큼 자동 연장된다.

주민등록번호, 주소 입력, 휴대폰 번호.

주민등록번호와 주소가 추후 정산료 지급 때 소득세 3%, 주민세 0.3% 국세청으로 신고 들어가기에 주민번호와 주소가 불명확하면 정산 지급이 된다.

③ 콘텐츠 등록. 홈에서 톱니바퀴를 클릭하면 콘텐츠 등록이 나온다.

④ 전자책 등록. 등록할 전자책 세부적인 내용을 등록
할 수 있는 페이지로 이동한다.

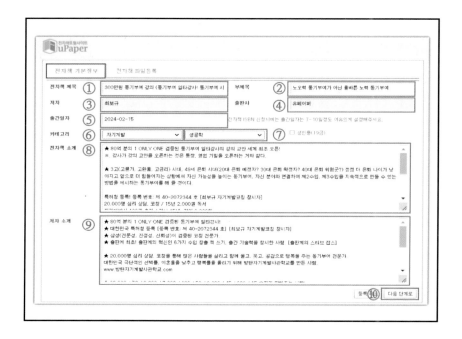

① 전자책 제목. 300만원 동기부여 강의 (동기부여 일타 강사! 동기부여 사용 설명서!)

② 부제목. 노오력 동기부여가 아닌 올바른 노력 동기부 여

③ 저자. 최보규

④ 출판사. 유페이퍼

⑤ 출간 일자. 2024. 01.17

(전자책 ISBN 신청시에는 출간 일자는 7~10일 정도로 여유 있게 설정을 한다.) 전자책 등록일로부터 1주일 뒤 로 설정하면 된다. 예)전자책 등록일 2024. 01. 10이면 2024. 01. 17

⑥ 1차 카테고리. 자기계발

⑦ 2차 카테고리. 성공학

⑧ 전자책 소개.

★ 80억 분의 1 ONLY ONE 검증된 동기부여 일타강사의 강의 교안 세계 최초 오픈!

※. 강사가 강의 교안을 오픈하는 것은 통장, 영업 기밀을 오픈하는 거와 같다.

★ 3고(고물가, 고환율, 고금리) 시대, 49세 은퇴 시대 (20대 은퇴 예정자? 30대 은퇴 확정자? 40대 은퇴 위험군?) 점점 더 은퇴 나이가 낮아지고 앞으로 더 힘들어지는 상황에서 자신 가능성을 높이는 동기부여, 자신 분야와 연결하여 제2수입, 제3수입을 지속적으로 만들 수 있는 방법을 제시하는 동기부여를 해 줄 것이다.

특허청 등록! 등록 번호: 제 40-2072344 호 [최보규 자기계발코칭 창시자]

20,000명 심리 상담, 코칭 / 15년 2,000권 독서

자기계발서 100권 출간 / 강사 15년, 강의 6,000회

7G 직업 (출판사 대표, 작가, 심리 상담사, 코칭 전문가, 강사, 유튜버, 한집의 가장)

45년간 습관 320가지 만듦...

많은 경력과 시행착오, 대가 지불, 인고의 시간을 통해 알게 된 동기부여를 세계 최초로 공개한다.

★ 어떤 강의에서도 말하지 못한 동기부여!

★ 어떤 강사도 말하지 못한 동기부여!

★ 어떤 책에도 없는 동기부여!

★ 어떤 영상에서도 볼 수 없는 내용의 동기부여!

⑨ 저자 소개.

★ 80억 분의 1 ONLY ONE 검증된 동기부여 일타강사!

★ 대한민국 특허청 등록 [등록 번호: 제 40-2072344호] [최보규 자기계발코칭 창시자]

★ 삼성(전문성, 진정성, 신뢰성)이 검증된 코칭 전문가.

★ 출판계 최초! 출판계의 혁신인 6가지 수입 창출 책쓰기, 출간 기술력을 창시한 사람. [출판계의 스티브 잡스]

★ 20,000명 심리 상담, 코칭을 통해 많은 사람들을 살리고 함께 울고, 웃고, 공감으로 행복을 주는 동기부여 전문가.

대한민국 극단적인 선택률, 이혼율을 낮추고 행복률을 올리기 위해 방탄자기계발사관학교를 만든 사람.

www.방탄자기계발사관학교.com

★ 20,000 / 7G / 2,000 / 7,000 / 100 / 50 / 6,000 / 45 / 320 / 15 숫자가 말해주는 사람!

20,000명 심리 상담, 코칭.

7G 직업(출판사 대표, 작가, 심리 상담사, 코칭 전문가, 강사, 유튜버, 한집의 가장)

2,000권 독서. 7,000개 메모. 자기계발서 100권 출간.

100권 출간한 책으로 온라인 콘텐츠, 디지털 콘텐츠 제작하여 50층 온라인 건물주.

강의 6,000회. 45년간 습관 320가지 만듦. 강사 15년 차.

★ 최보규상(대한민국 노벨상)을 만든 사람.

최보규를 알고 있는 사람들에게 나다운 행복을 만들어 주기 위해 올바른 노력을 하는 사람.

⑩ 다음 단계로. 전자책 원고 파일, 표지 파일 등록, 목차 등록 창으로 이동한다.

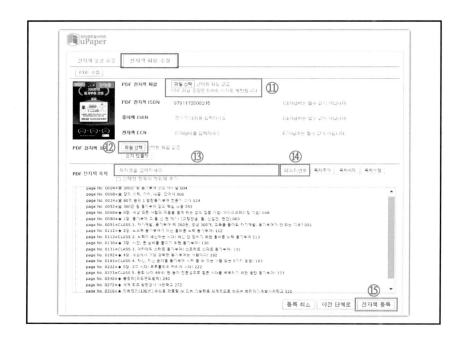

⑪ PDF 전자책 파일. 파일 선택을 클릭을 한 다음 전자
책(PDF)등록 할 파일을 업로드하면 된다.

(PDF 파일 용량은 50MB 이하로 제한된다.)

PDF원고 용량이 50MB가 넘을 때는 알PDF 프로그램에서 압축(PDF 최적화)을 하면 된다. 네이버에서 무료인 알PDF 다운로드하면 된다.

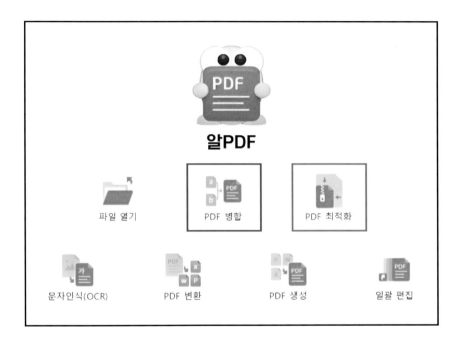

#. 원고 등록 할 때 중요사항.

PDF원고 첫 장은 유페이퍼 로고가 들어간 책 표지가 들어가야 되고 PDF원고 마지막 페이지에는 판권지에 책 가격이 들어가야 한다. 전자책 표지 제작을 PDF로 다운로드 한 다음 전자책 원고와 알PDF 프로그램에서 PDF병합을 한다.

전자책(PDF) 첫 페이지 유페이퍼 로고 들어간 표지

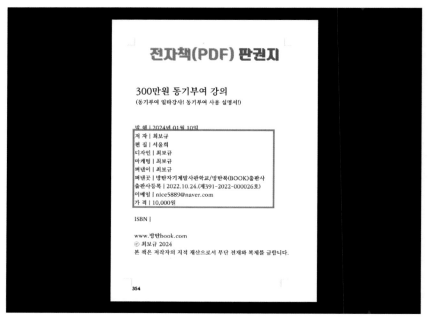

전자책(PDF) 판권지 알PDF에서 편집

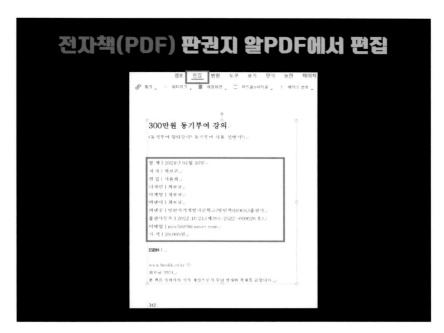

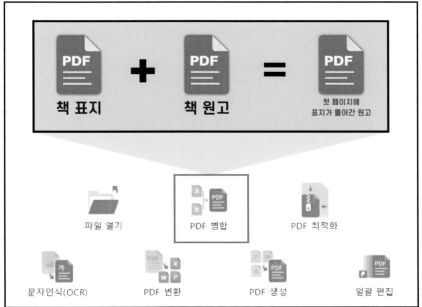

파일 열기

PDF 병합

PDF 최적화

문자인식(OCR)

PDF 변환

PDF 생성

일괄 편집

⑫ PDF 전자책 표지. 파일 선택을 클릭을 한 다음 만들
어 놓은 전자책 표지 등록.

#. 이미지 파일(jpg, gif, png)만 선택이 가능.

⑬ 목차 명 입력. 목차 명을 하나씩 입력해야 한다. 원
고 작성한 한글에서 목차 전체를 복사한 다음 붙여넣기
하면 좋겠지만 프로그램 특성상 한 번에 붙여넣기가 되
지 않는다. 목차 한 문장씩 복사해서 넣어야 된다.

⑭ 페이지 번호 입력. 전자책 페이지 번호를 입력한다.
⑮ 전자책 등록. 전자책 기본 정보 입력이 끝났다. 판매
신청을 하기 위한 단계로 넘어간다.

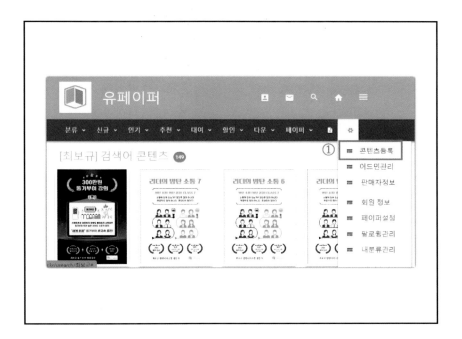

① 콘텐츠 등록. 메인 페이지에서 톱니바퀴에 있는 콘텐츠 등록으로 들어간다.

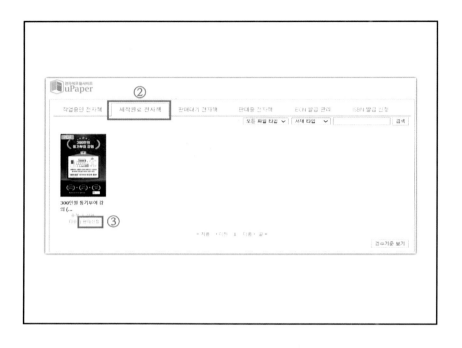

② 제작 완료 전자책. 제작 완료 전자책을 클릭한다.

③ 판매신청. 판매 신청으로 들어가면 책 가격 설정과
판매 제휴사 선택을 할 수 있다.

④ DRM. DRM 적용 할 때 UCASH 500씩 차감된다.

[Digital Rights Management] 디지털 콘텐츠의 무단
사용을 막아, 제공자의 권리와 이익을 보호해 주는 기술
과 서비스를 통틀어 일컫는 말이다. 불법 복제와 변조를
방지하는 기술 등을 제공한다. 전자책 한 권 등록할 때

500원이 들어간다.

⑤ 판매 가격. 전자책 가격을 정한다. 500원 ~ 20,000원까지 설정할 수 있다. 전자책 평균 가격은 10,000원이다.

⑥ 해시태그. 검색 해시 태그를 5개까지 입력 가능하다.

⑦ 미리 보기 설정. 미리 보기 설정은 무료로 몇 페이지까지 오픈할 것인지를 설정하는 곳이다. 대부분 머리말, 목차까지 오픈을 한다.

⑧ 판매 제휴사 선택. 온라인 판매 제휴사 선택 페이지
로 이동한다.

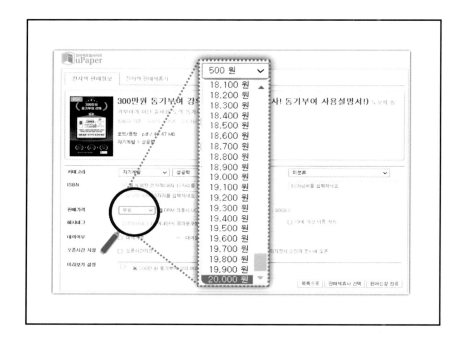

⑨ 제휴사 선택. 제휴사 전체 선택을 체크하면 제휴되어 있는 전체 제휴사가 선택된다.

⑩ 판매 신청 완료. 판매 신청을 클릭하면 마지막 단계인 책의 주민등록번호인 ISBN 발급 신청을 할 수 있다.

⑪ ISBN 발급 신청 페이지로 이동하기 위해서 홈페이지 메인화면으로 이동 후 콘텐츠 등록 클릭.

⑫ ISBN 발급 신청 카테고리 클릭.

⑬ 등록한 전자책 체크.

⑭ ISBN 발급 신청 클릭.

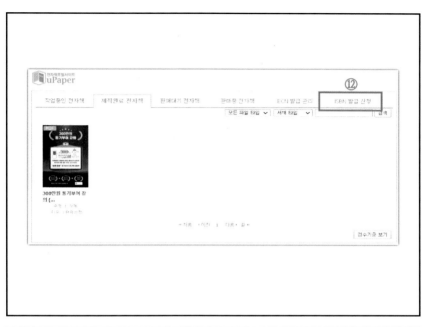

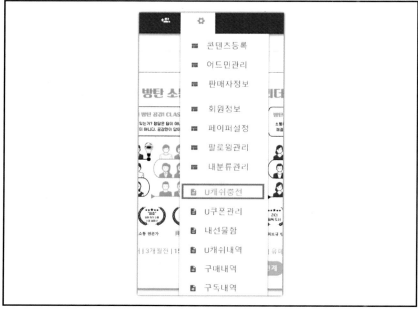

214

구입 금액	충전 금액	충전방법
○ 1,000원	1,000 U캐쉬	◉ 신용카드
○ 5,000원	5,000 U캐쉬	
○ 10,000원	10,000 U캐쉬	
◉ 20,000원 ①	20,000 U캐쉬	○ 계좌이체
○ 50,000원	50,000 U캐쉬	
○ 직접입력	U캐쉬 충전 : 10000	

② 충전하기

#. ISBN 발급 신청은 무료가 아니다. 한 권 신청 할 때 1,000원의 비용이 발생한다. 유페이퍼출판사의 U캐쉬가 있다면 ⑮확인만 누르면 되자만 U캐쉬가 없다면 충전을 해야 한다.

U캐쉬 충전을 하려면 홈페이지 메인화면에서 톱니바퀴 클릭하면 U캐쉬충전이 나온다. 기본 1,000원에서 50,000만 원까지 가능하다. 충전하기 누르면 결제 창이 뜨고 결제를 한 다음 ⑫번 ISBN 발급 신청을 하면 마무리가 된다. 심사, 승인은 2~3일 정도 걸린다.

- 심사, 승인 기준

표지

- 표지에 도서명, 저자명, 출판사명은 필수 요소입니다.
- 표지는 가로 700px / 세로 1000px 사이즈가 유페이퍼 뷰어에 적합하며, 가로 사이즈 기준으로 600px이상 1000px이내에서 설정해주시기 바랍니다.
- 성인 도서는 '19세 미만 구독 불가' 빨간 띠지 를 삽입해 주시기 바랍니다.
- EPUB과 PDF 모두 파일 첫 장에는 표지가 있어야 합니다.

판권

- EPUB, PDF 파일 내부에는 판권이 있어야 합니다.
- 도서명, 저자명, 출판사명, 출간일, 정가는 반드시 포함되어야 합니다.
- 판권은 독자의 가독성을 위해 가급적 도서 마지막에 설정해 주시기 바랍니다.

가격

- 도서 종류에 따라 가격 설정은 상이하나, 정가를 10,000원 이상으로 하시려면 글자 수 10만 자 이상, 7,000원 이상은 5만 자 이상의 분량이어야 합니다.
- 기존에 판매 중인 도서의 정가 인상은 기존 정가의

30% 내에서 가능합니다.

• 한국출판문화진흥원의 '도서정가제'를 참고해 주시기
바랍니다.

공통된 승인 거절 기준

• 이미 판매 중인 도서를 중복으로 판매 신청하면 승인
이 거절됩니다.

• 미완성작, 편집이 덜 된 도서, 테스트 도서는 승인이
거절됩니다.

• 출판사가 아닌 개인인 경우, 출판사명이 '유페이퍼'여
야 합니다. (출판사/인쇄사 검색 시스템)에 검색되지 않
는 출판사명은 승인거절)

• 도서 소개, 저자 소개의 분량은 4000bytes 이내로 조
정해 주시기 바랍니다.

AI제작된 전자책외 판매유통중지

• GPT등 수많은 AI를 이용하여 전자책을 제작, 유통하
는 콘텐츠중에서 전국 전자도서관으로부터 클레임이 발
생되어 수백여권 B2B판매가 전면 판매중지되었습니다.
따라서 유페이퍼내에서 AI제작된 콘텐츠에 대한 검수강
화되었으며, 승인되었더라도 제휴사 유통이 불가할수 있
습니다.

1) 나열식으로 정리되어 많은것 처럼 보이나 실제 읽어 보면 내용이 허접하고 핵심이 없는 콘텐츠들

2) AI로 작성여부 상관없이 분량대비 가격 높이 책정한 콘텐츠들은 판매불가 (통상 종이책으로 출판된 콘텐츠가 전자책으로 판매시 300페이지 기준 1만원수준이므로 100페이지 3천원선이 적당), (크몽등 재능기부 프리랜서 마켓에서 판매되는것과 유페이퍼 ISBN을 발급받아 정식 출판되어 영원히 기록으로 남는 전자책은 차원이 틀립니다.)

3) 전자책출판교육으로 동일주제 동일콘텐츠로 표지와 작가가 틀리게 등록되는 콘텐츠는 소수만 승인되고 다 거절처리 (제목과 내용이 틀리면 승인)

참고사항

• 동일한 도서를 PDF와 EPUB으로 판매하실 경우, 도서명, 저자명, 정가 등이 동일해야 합니다.

• 등급과 가격 설정은 제공자의 책임과 권한이나. 판단에 따라 수정을 요청할 수 있습니다.

• 간행물윤리위원회(www.kpec.or.kr)의 <심의 대상 및 심의 기준>에 의거하여 승인을 거절하거나 수정요청을 할 수 있습니다.

• 직거래 제휴사를 중복 판매 신청하지 않게 주의해 주

시기 바랍니다.

• 판매 중인 도서를 수정하여 재판 매신청 하시면 보름 간의 판매대기 기간이 발생합니다.

판매 신청 하기 전 마지막으로 확인하기

• 표지는 제대로 들어가 있는가
• 목차의 이름은 제대로 들어가 있는가
• 판권의 내용은 올바르게 들어가 있는가
• 오탈자를 포함한 본문의 편집은 완료되었는가

<유페이퍼>

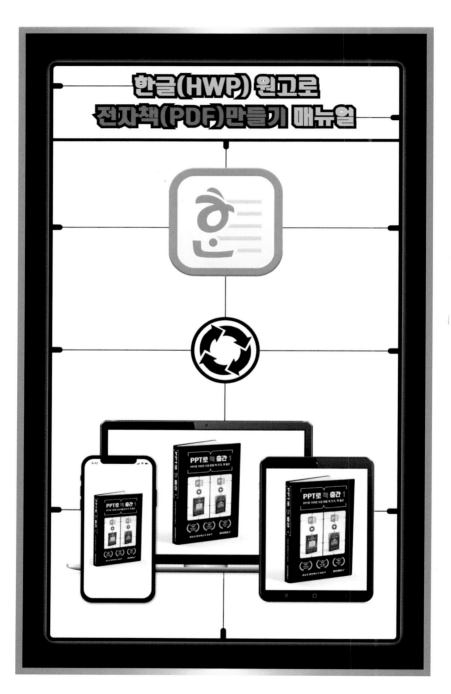

220

★ 한글(HWP)원고로 전자책(PDF)만들기 매뉴얼

#. 당신은 어떤 것을 선택할 것인가?
1. 종이책만 출간한다. (1가지 수입만 발생)
2. 전자책(PDF)만 출간한다. (1가지 수입만 발생)
3. 종이책, 전자책(PDF)을 동시에 출간한다. (2가지 수입과 방탄book기술력과 연결을 하면 6가지 수입까지 발생시킬 수 있다.)

그 누구에게 물어봐도 3번을 선택할 것이다. 종이책만 출간할 때보다 전자책을 같이 출간을 하면 여러 가지 수입과 연결을 시킬 수 있다. 한글(HWP)원고로 전자책(PDF)으로 변환하는 매뉴얼 설명을 시작한다.

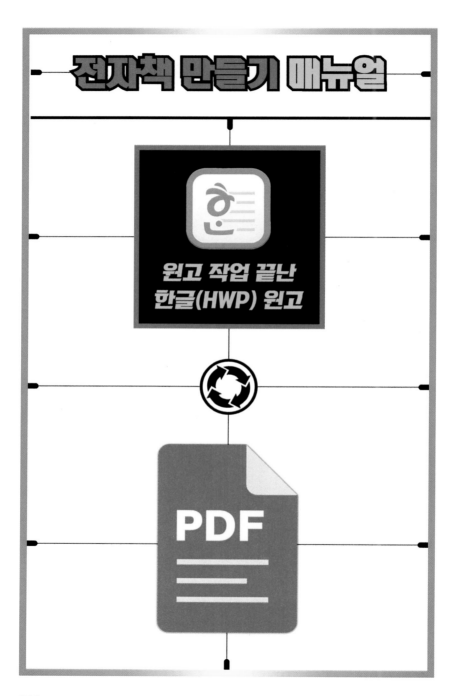

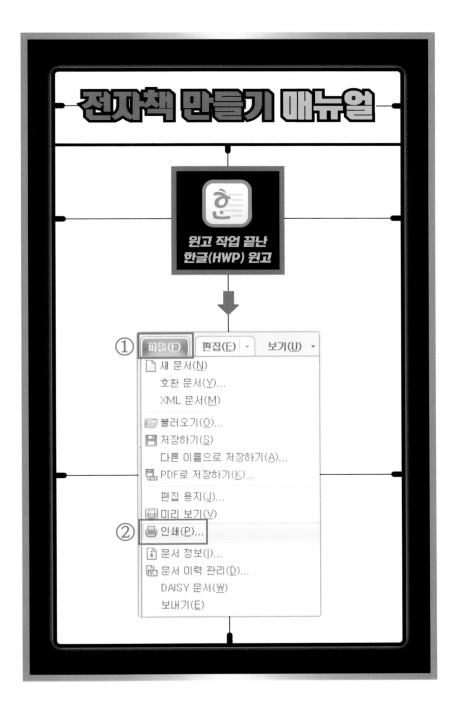

① 한글(HWP)프로그램 파일. 한글(HWP)원고 작업한 한글 파일 원고에서 파일을 클릭.

② 인쇄. 바로 PDF로 저장하는 것이 아니다. 그 이유는 원고 작업이 끝난 뒤 탈고, 퇴고를 하기 위해서 모아찍기(2쪽씩)로 원고 전체 인쇄를 하여 오타 체크를 했기에 모아찍기(2쪽씩)가 아닌 기본 인쇄로 바꿔줘야만 PDF로 저장 했을 때 한 장에 2페이지가 아닌 한 장에 1페이지씩 나온다.

전자책(PDF)등록 할 때 한 장에 2페이지씩 나오면 승인 되지 않는다. 전자책(PDF)은 한 장에 1페이씩 나와야 한다.

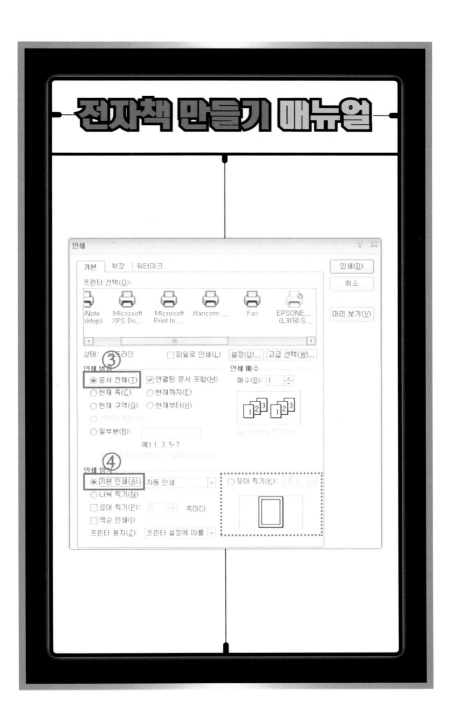

전자책 만들기 매뉴얼

③ 문서 전체.

④ 기본 인쇄. 모아 찍기(2쪽씩)로 체크 되어 있으면 기본 인쇄로 체크한다.

PDF로 저장을 하기 전에 인쇄에 들어가서 모아 찍기가 아닌 기본 인쇄로 해야만 출판사에 전자책 등록이 된다. 처음부터 사소한 것을 잘 지켜야만 시행착오를 줄일 수 있다.

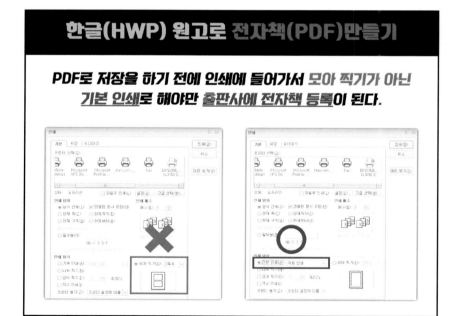

전자책 만들기 매뉴얼

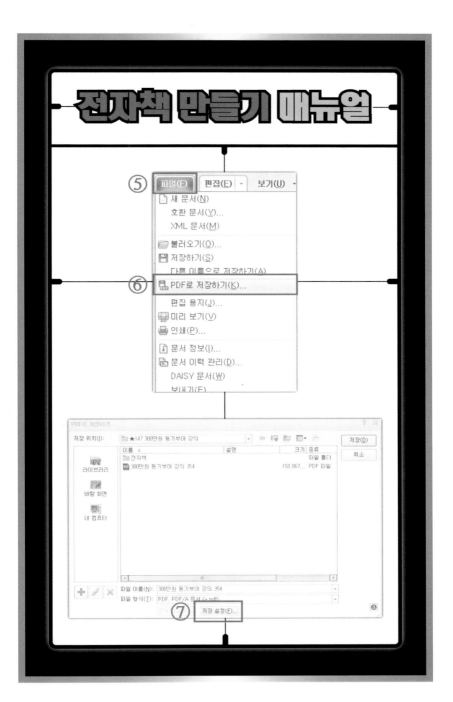

⑤ 파일.

⑥ PDF로 저장하기.

⑦ 저장 설정.

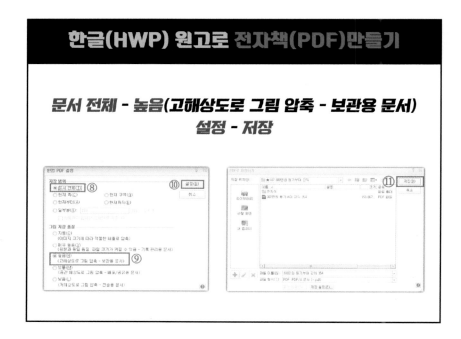

⑧ 문서 전체.

⑨ 높음(고해상도로 그림 압축 – 보관용 문서).

높음으로 저장하면 전자책(PDF)파일 용량이 늘어난다.
전자책(PDF)은 PC, 노트북, 스마트폰으로 보기 때문에
선명도가 낮으면 안 된다.

⑩ 설정.

⑪ 저장.

① ~ ⑪까지 진행하면 전자책을 취급하는 출판사에 등록할 수 있는 전자책(PDF) 원고를 완성한 것이다. 한번 만들어 놓은 전자책(PDF) 원고를 활용해서 21세기 황금알을 낳는 거위라는 무인 자동 시스템을 만들 수 있다.

전자책(PDF)으로
1. 커피숍에서 지인과 대화 중에도 돈이 입금되는 시스템?
2. 자고 있는데 돈을 버는 시스템?
3. 여행 중에도 돈이 입금되는 시스템?
4. 사무실, 직원이 필요 없는 시스템?
5. 건물주처럼 월세가 입금되는 시스템?
6. 집에서 댕댕이와 휴식하고 있는데 돈이 입금되는 시스템?

월세, 연금성 수입을 발생시키는 전자책은 선택이 아닌 필수다.

방탄리더사관학교

BULLETPROOF LEADER MILITARY ACADEMY

리더
천재일우과

<저자 최보규>

천재일우(千載一遇): 천 년에 한 번 만난
다는 뜻으로 좀처럼 만나기 어려운 기회.
당신에게 망고보드는 천재일우다!
(세상 모든 디자인 제작)

★ 당신에게 망고보드는 왜! 천재일우인가? (세상 모든 디자인 제작)

1) 앞으로 3가지 스펙이 없으면 전문가가 될 수 없다?

앞으로 디지털 시대 더 활성화되면 되었지 덜 하지는 않는다. 자신 분야 영상 촬영 편집 기술력, 홍보디자인 제작 기술력, 온라인, 디지털 콘텐츠 제작 기술력은 스펙이며 필수 스펙이 되었다.

전문 분야가 있는데 영상 편집, 홍보 디자인을 못한다? 영상 콘텐츠 제작을 못한다? 전문가라고 말을 하면 안 된다. 쪽팔리고 자존심 상해야 하며 위기의식을 가져야 한다.

자신 분야 삼성(진정성, 전문성, 신뢰성)을 높이기 위해서는 지금 트랜를 잘 봐야 한다. 유튜브, 페이스북, 인스타그램, 네이버 블로그, SNS, 자신 분야 홍보 디자인 제작, 재능마켓, 홍보 디자인, 광고 디자인, 영상, 화려한 디자인들, 화려한 사진들, 화려한 이미지들이 하루 만해도 어마어마하게 쏟아지고 있다.

지금 대부분 사람들이 화려한 이미지에 노출이 많이 되어 있어서 이미지 없이 텍스트만 있는 것은 무시하고 처다보지도 않는 트랜드다. 처다보지도 않는다는 게 뭔지 아는가? 쓰레기 취급한다는 것이다.

이런 상황에서 언제까지 돈 주고 전문가에게 의뢰할 것인가? 제작 의뢰하는 것도 한계가 있는 것이다. 전문 분야가 있고 프리랜서라면 자신 분야 디자인 작업과 홍보 디자인 작업을 계속 해야 한다.

다시 한 번 강조 한다! 디지털 시대를 살아남기 위한 필수 스펙은 자신 분야 영상 촬영 편집 기술력, 홍보디자인 제작 기술력, 온라인, 디지털 콘텐츠 제작 기술력은 스펙이며 필수 스펙이다.

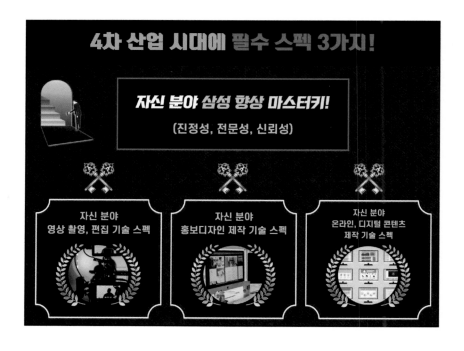

지금 어떤 시대에 살고 있는가? 스마트폰으로 인해서 하루만 해도 영상, 이미지, 글... 눈이 아플 정도로 화려한 것을 수 만개는 본다. 한마디로 지금 시대 사람들의 평균 시각적인 수준이 높다는 것이다.

이런 상황에서 디자인이 평범하거나 호기심을 유발, 궁금증 유발 "이런 디자인은 처음 보는데 너무 신선하다. 럭셔리하다."라는 마음이 들어서 보고 싶도록 디자인을 제작해야만 선택할 확률이 높아지는 것이다. 다음은 지금 현실 속 사람들의 집중력에 대한 내용이다.

겨우 8초, 금붕어보다 못한 인간의 집중력

소위 'MZ'라고 불리는 요즘 젊은 세대는 어렸을 때부터 늘 새로운 자극으로 가득한 디지털 환경에 노출된 채 자랐다. 그래서인지 한 가지 주제에 오랫동안 집중하기 상당히 어려운 뇌 구조를 지녔다고 한다. 뭔가에 집중할 수 있는 시간(Attention Span)에 관한 연구를 살펴보자. 아동이 주의해서 집중할 수 있는 시간은 얼마나 될까? '자신의 나이×1분' 정도라고 한다. 6세 어린이는 약 6분 정도 집중할 수 있다는 뜻이다. 이 시간은 개인에 따라 차이가 있고, 몰입하면 10~15분까지는 늘어날 수 있다. 너무 지루하지도 않고 그렇다고 아주 재미있지도 않은 평범한 수업을 하고 있다고 하자. 십 대 학생들은 보통 수업을 듣기 시작하면 약 10분 후부터 집중력이 떨어진다. 일반적으로 이들이 뭔가에 주의해서 집중할 수 있는 시간은 20분을 넘기기 어렵다. 따라서 수업 시작 후 10~20분이 지나면 신경전달물질이 고갈된 학생들은 이내 집중에 어려움을 느끼고 주의가 산만해진다. 그래서 유튜브 영상의 평균 길이는 15~20분이고, 테드(TED) 강연 길이는 18분이다. 집중력을 감안해 메시지를 확실히 전달하기 위한 시간이다. 드롭박스의 마케팅 신화를 쓴 실리콘밸리 최고의 마케터 션 앨리스(Sean Ellis)가 한 말을 약간 각색하여 들어보자.

"고객의 주의집중을 원하신다고요? 사업 규모의 확장을 위해서는 시장이 원하는 언어를 사용해야 합니다. 언어의 시장 적합성이 무엇보다 중요하죠. 잠재 고객의 마음을 움직일 수 있는 말을 상상해 보세요. 당신이 만든 제품을 고객이 마주할 때 어떻게 해야 가장 효율적으로 전달할 수 있을지 생각해 보셨나요? 고객이 좋아하지 않는 언어로 구애한다면 필패입니다. 제품 가치를 알아줄 상대방이 없는 곳에서 헛스윙을 하는 거라고 생각하면 됩니다." 여기서 왜 고객의 마음을 끌어당길 언어에 몰두해야 하는지 그 이유가 나온다. 스마트폰이 생기기 전 고객이 광고에 집중할 수 있는 시간은 12초였다. 이제는 8초로 뚝 떨어졌다. 9초인 금붕어보다 못하다.

주의집중 시간의 변화

12초 - 2000년 인간의 평균 주의집중 시간

8초 - 2015년 인간의 평균 주의집중 시간

9초 금붕어의 주의집중 시간

인간의 평균 주의집중 시간 인간의 평균 주의집중 시간 금붕어의 주의집중 시간 왜 이런 일이 발생했을까? 주변의 수많은 자극에 적응하다 보니 주의력이 줄어들었다는 것이 통설이다. 생각해 보라. 우리는 매일매일 넘치는 정보의 홍수 속에서 살아가고 있다.

수시로 오는 문자와 카카오톡 메시지, 귀찮아 들여다보지도 않는 이메일처럼 하루하루 우리의 신경을 산만하게 하는 요소가 차고 넘친다. 그 결과 집중해서 주의를 지속하는 시간이 줄어드는 것은 당연한 결과다. 게다가 여러 일을 한꺼번에 하는 멀티태스킹형 업무 방식에 길들여진 젊은 세 대에게 이런 현상은 더욱 심각하게 다가올 수밖에 없다.

뇌 신경세포를 뜻하는 뉴런과 마케팅의 합성어인 뉴로마케팅(Neuro Marketing)의 연구 결과를 보자. 브랜드의 색상이 소비자로 하여금 다양한 감정을 불러일으킨

다고 한다. 소비자들이 상품을 구매하는 데 있어 시각적
효과가 약 95%를 차지한다고 하니, 디자인과 색감이 큐
레이터에게는 아주 중요하다. 색은 브랜드를 인식하는
강력한 수단으로, 그리고 소비자의 신뢰를 확보하는 무
기로 작용한다. 빨간색 코카콜라와 초록색 스타벅스 로
고가 소비자의 지갑을 열게 하는 강력한 마케팅 도구로
활용되고 있다는 것은 마케팅 세계에서는 익히 아는 이
야기다.

《감정 경제학》

금붕어의 집중력이 9초인데 지금 시대 사람들의 집중력
이 8초라는 말이 씁쓸하기만 하다. 지금시대 사람들의
심리를 알려주는 내용이었다.

어떤 분야든 지금 시대 사람들의 상태, 심리를 알아야만
공격적으로 영업, 마케팅을 할 수 있고 자신 분야 제품
을 알릴 수 있는 것이다.

시각적인 효과가 95%를 차지한다는 것은 어마어마한
것이다. 그래서 홍보마케팅 디자인이 중요하다고 말을
하는 것이다. 지금 시대의 사람들에게 집중력 8초를 머
물게 하지 못하면 끝이다.

스마트폰을 누군가는 시간 때우는 도구로 사용하고 누군가는 자신 분야와 연결하여 전문성을 높여 수입을 발생시키는데 활용한다.

자신 책, 자신 분야를 몇 백만 원 씩 들여서 홍보 할 수도 있다. 하지만 100년(평생) 해야 하는데 한번 하는 데 몇 백만 원씩 들어가는 비용을 감당할 수 있겠는가? 노오력 홍보마케팅이 아니라 최소의 비용으로 최대의 효과를 내기 위한 전략적인 올바른 홍보마케팅이 중요한 것이다. 스마트폰에 있는 홍보마케팅 도구들을 어떻게 활용할 것인가가 중요하는 것이다.

스마트폰이라는 도구가 있다면 홍보할 수 있는 재료가 있어야 한다. 재료는 자신 책을 홍보하기 위한 책 홍보 디자인 한 홍보이미지다. 전문가에게 의뢰를 하면 이미지 사진 하나를 만드는 데도 몇 십만 원씩 들어간다. 유튜브 홍보 영상 제작은 최소 200만 원 ~ 500만 원이 들어간다.

앞에서도 언급했듯이 필자 디자인 실력이 마우(마우스만 움직일 줄 아는 우주 초보)라고 했다. 지금도 PPT 만드는 수준, 디자인 실력이 마우다.

종이책 150권, 전자책 250권 총 400권 출간하면서 책 홍보마케팅을 위해 디자인한 것을 모두 다 마우 실력으로 디자인 한 것이다. 믿겨지지가 않을 것이다. 어떤 도구를 활용하느냐에 따라 마우를 전문 디자이너로 만들 수 있다. 그 기적의 시작이 망고보드다. 마우 실력만 있어도 망고보드에서 필자처럼 할 수 있다.

망고보드에서 총 400권 출간한 디자인 모든 것들을 작업했다. 망고보드에서 작업할 수 있는 디자인 종류는 사람 만드는 것 빼고 다 된다고 보면 된다. 오해하지 말았으면 한다. 필자가 망고보드 직원은 아니다. 홍보대사도 아니다.

망고보드에서 디자인 가능한 것들은 다음과 같다.

스티커 디자인, 리플렛, 전단지, 포스터, 명함, 배너, 어깨띠, 현수막, 봉투, 카탈로그, 종이컵, 프레젠테이션, A0~A5, B0~B5, 카드뉴스, 인스타그램, 페이스북, 네이버 스마트스토어, 네이버 블로그, 네이버 TV, 유튜브, 트위터, 틱톡, 로고 프로필, 북커버, 메뉴판, 구글배너, 카카오모먼트, 인포그래픽.

망고보드 장점은 기존에 만들어져 있는 디자인들 샘플을 활용해서 디자인하면 된다는 것이다. 이미 만들어져 있는 디자인을 자신 취향에 맞게 수정만 하면 된다는 것이다. 그래서 당신에게 망고보드는 천재일우인 것이다.

필자가 망고보드를 활용해서 종이책 150권, 전자책 250권 총 400권 출간하면서 어떻게 디자인을 했는지 참고하길 바란다.

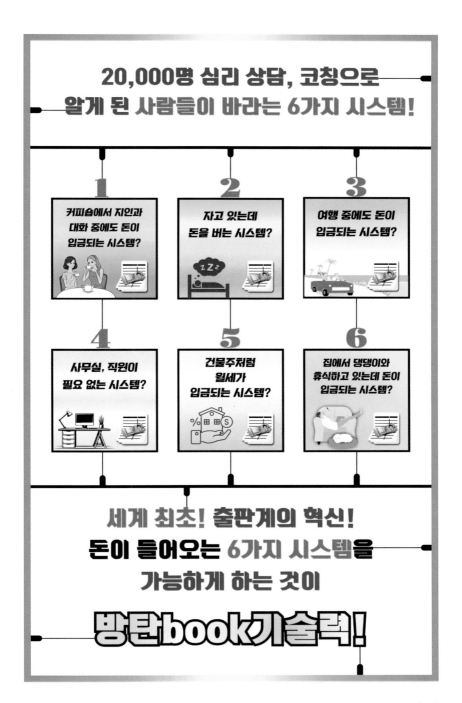

★ 망고보드에서 표지 앞면 디자인 (샘플)

1권 쓰고 말 거라면 책 표지를 돈을 주고 만들면 된다. 하지만 책을 꾸준히 출간할 거라면 표지 디자인하는 기술력을 배워 시간, 돈을 아껴야 한다. 책 표지를 언제까지 돈 주고 만들 것인가? 책 표지 만드는 기술력을 배우면 100년 수입 창출을 할 수 있다.

종이책 표지 디자인을 제작하면 전자책(PDF)은 자연스럽게 만들 수 있게 된다. 한마디로 종이책 1권을 출간하면 온라인에 1층을 가지고 있는 건물주가 되는 것이다. 필자는 종이책 150권, 전자책 250권 총 400권 출간했다. 한마디로 400층의 온라인 건물주라는 것이다. 월세, 연금성 수입이 얼마 정도 발생할 거 같은가? 앞에서도 언급을 했던 내용을 참고하자.

2024년 대한민국 현실은 5명 중 1명이 사기꾼이고 3혹[유혹, 현혹, 화혹(화려함에 혹하다)]에 빠져 3명 중 1명중 한명이 사기 당한다. 대검찰청에 따르면 연간 136만 건 범죄 중 가장 많이 발생하는 범죄가 1위는 사기다. 수입 인증, 통장 인증하는 사람들 90%는 "믿음을 줘야 크게 한탕을 칠 수 있다."라는 심리가 있다. 수입 인증, 통장 인증하는 사람들이 다 사기꾼은 아니다. 하지만 단언컨대 사기꾼들은 수입 인증, 통장 인증을 한다는 것을 명심하자!

이번 생에 힘든 갓물주 위에 건물주는 힘들어도 온라인 건물주는 가능하다는 것이다. 최보규 방탄book 코칭 전문가의 PPT 디자인 수준인 마우(마우스만 움직일 줄 아는 우주 초보)에서 150권 표지를 만들 수 있었던 스토리텔링 시작한다. 지금부터 상상을 초월하는 기술력을 오픈하기에 스마트폰 무음으로 해놓고 보길 바란다.

한 분야 전문가라면 이제는 자신 분야를 홍보하기 위한 디자인 스펙은 기본으로 해야 한다. PPT를 할 줄 아는 사람이라면 필수이다. 필자의 본업은 강사다. 15년 전 강사 직업을 시작으로 7G 직업(출판사 대표, 작가, 심리상담사, 코칭 전문가, 강사, 유튜버, 한집의 가장)을 하고 있다.

강사 1년 차 PPT 디자인 수준이 상 → 중 → 하 → 마우(마우스만 움직일 줄 아는 우주 초보)에서 마우였다. 그런데 15년 전 PPT 디자인 수준이 마우였던 필자가 15년이 지난 지금도 PPT디자인 수준이 마우인 사람이 책과 연관된(종이책 표지, 종이책 3D 표지, 종이책날개 표지, 전자책 표지, 책에 들어갈 이미지 디자인, 책 출간

후 유튜브 홍보 영상 디자인, SNS 프로필 디자인... 등)
디자인 수준을 어떻게 끌어 올렸는지 150권 표지 디자
인한 것을 보고 냉정하게 판단해보길 바란다. 디자인을
보면 디자인 실력, 내공, 가치가 나온다.

#. 150권 표지 디자인 중에 1%만 공개하고 종이책 표
지, 날개 표지 작업 노하우, PPT에서 책 표지, 날개 표
지 만드는 노하우까지 공개한다. PPT 디자인 수준이 마
우(마우스만 움직일 줄 아는 우주 초보)인 사람도 가능
하다는 것을 필자가 증명해 보이겠다.

종이책 표지 디자인

| Google 자기계발아마존 | ▶YouTube 방탄자기계발 |

나다운 강사 1

강사 내비게이션

최보규 지음

대한민국 최초 '강의, 강사 전문서적'

나다운 사관학교 참모총장의 강사 내비게이션

명강사, 스타 강사, 1억 연봉 프로 강사는 잊어라!
나의 꿈은 '나다운 강사'다!

종은땅

| NAVER 나다운강사1 | NAVER 최보규 |

종이책 표지 디자인

Google 자기계발아마존

YouTube 방탄자기계발

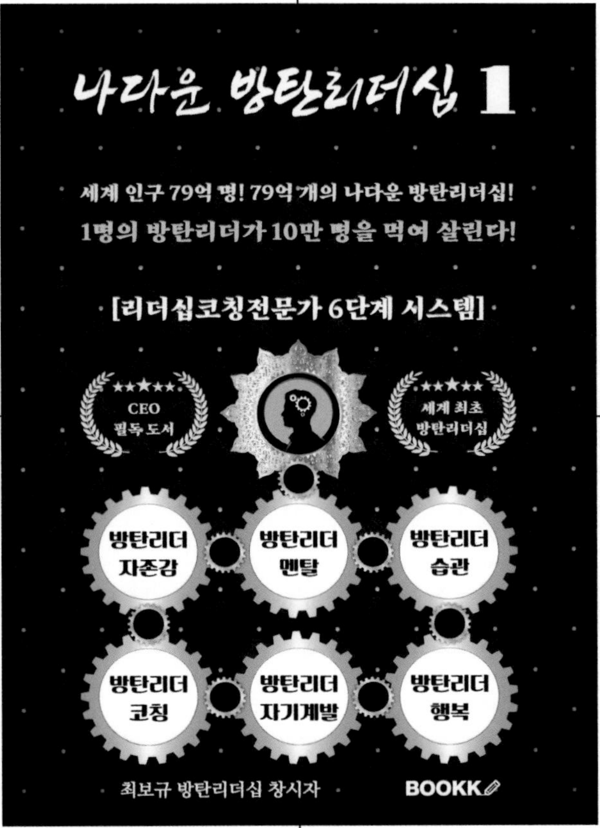

NAVER 나다운방탄리더십

NAVER 최보규

종이책 표지 디자인

종이책 표지 디자인

| Google 자기계발아마존 | ▶ YouTube 방탄자기계발 |

리더의 방탄 소통 1

방탄 소통! 방탄 공감! CLASS 7

소통에 답이 있는가? 정답은 답이 아니다.
해결책도 답이 아니다. 공감만이 답이다.

★★★★★
리더
필독 도서

★★★★★
"최초"
방탄 리더 소통
사용 설명서

★★★★★
"최초"
방탄 리더 소통
지침서

최보규 방탄리더소통 전문가   BOOKK✎

| NAVER 리더의방탄소통 | NAVER 최보규 |

종이책 표지 디자인

150권 출간 한 책 중에 종이책 앞면 표지 디자인 한 것을 보면서 어떤 생각이 들었는가?

20,000명 심리 상담, 코칭 하면서 쌓인 내공과 종이책 150권, 전자책 250권 총 400권 출간했던 내공으로 당신이 지금 어떤 생각이 들었고 어떤 궁금증이 생기는지 맞혀 보겠다.

"PPT 디자인 수준이 상 → 중 → 하 → 마우(마우스만 움직일 줄 아는 우주 초보)에서 마우라고 했는데... 어떻게 표지 만든 실력이 디자인 전문가 그 이상으로 할 수 있을까? 디자인 전공을 했던 전문가의 수준인데? 마우라는 말 거짓말 아닐까? 진짜 마우 실력으로 저 정도 표지를 만들 수 있는 기술력을 배울 수 있다면 무조건 교육, 코칭 받고 싶다."

어떤가? 속마음이 들켰는가? 필자가 신의 능력이 있는 것은 아니다. 그만큼 내공, 통찰력이 있다는 것이다.

이 책을 보고 있는 사람들 대부분은 일반 사람이 아닐 것이다. PPT와 연관된 사람이거나, 책 쓰기, 책 출간에 관심이 많은 사람이거나, 자신 분야 전문성을 살려 제2수입, 제3수입을 올리고 싶어서 보는 사람들일 것이다.

그래서 자신 있게 이런 말을 하고 싶다. "이 책을 보고 있는 당신은 천재일우(천 년에 한 번 만난다는 뜻으로 좀처럼 만나기 어려운 기회)온 것이니 모든 것을 흡수해라."

책 표지, 책날개 표지 디자인 만들 수 있는 도구들이 많다. 그중에서 무료로 많이 쓰는 것이 미리캔버스, 캔바(Canva)이다. 미리캔버스, 캔바(Canva) 사용 설명서는 네이버에서 검색하면 어마어마하게 많고 마우(마우스만 움직일 줄 아는 우주 초보)도 할 수 있는 수준이다.

필자가 쓰고 있는 프로그램은 망고보드다. 망고보드 프로그램에 들어가서 보면 알겠지만 마우(마우스만 움직일 줄 아는 우주 초보)도 충분히 가능한 프로그램이라는 것이다. 종이책 150권, 전자책 250권 총 400권 책 출간하면서 연관된 모든 디자인들 99%가 망고보드에서 작업을 했다는 것이다.

지금도 필자의 PPT 디자인 수준이 마우(마우스만 움직일 줄 아는 우주 초보)인데도 디자인 전문가 못지않게 책 표지를 디자인 할 수 있었던 것이 쉽게 사용 할 수 있는 망고보드 프로그램이라는 것이다. 다만 무료 버전이 아닌 유료 버전을 사용해야 한다.

무료가 전부 가치가 없는 건 아니지만 극소수 빼고는 무료는 무료만큼의 가치밖에 하지 않는다. 디자인을 할 때 무료 버전을 사용할 수도 있지만 될 수 있으면 사용하면 안 되는 이유가 이미지, 폰트 저작권 문제로 저작권법에 걸려 문제가 생길 수 있기 때문에 망고보드 유료 버전을 사용하는 것이다.

"책 앞면 표지가 책의 전부는 아니지만 때론 책 앞면 표지가 책의 전부가 될 수 있다." 시각적인 것이 그만큼 중요하다는 것이다. 제목이 특별해서 선택하지 않는 한 90%는 책을 선택하고 안 하고는 책 앞면 표지 디자인으로 판단한다고 봐도 무방하다. 그래서 책 앞표지 디자인에 신경을 많이 써야 한다. 다음으로 나오는 책 표지 디자인을 보고 당신은 몇 번을 선택할 것인가?

독자들이 책을 선택할 때 여러 가지를 볼 것이다. 표지, 제목, 목차, 작가, 책 소개 글... 등 이 중에서도 가장 중요한 첫인상을 좌우하는 것은 표지라는 것이다.

표지가 끌려야 제목, 목차, 작가, 책 소개 글... 등을 본다는 것이다.

♥ 책 표지 디자인을 제대로 하느냐 안 하느냐 차이 비유 설명.

1. 영화로 비유를 하면 2D 영화냐, 4D 영화냐 차이다.

2. 사랑으로 비유를 하면 한 번 만나고 믿음, 신뢰, 사랑 비전 제시 없이 프러포즈하느냐, 1년(4계절을 겪으면서 감정 변화를 적응하는 시기)을 함께 하면서 믿음, 신뢰, 사랑 비전을 주고 프러포즈하느냐 차이다.

3. 결혼으로 비유를 하면 결혼식 하루(30분)를 위해서 신혼집, 스드메에만 집착을 하느냐, 결혼 생활 100년을 위해서 부부행복(남편 13계명, 아내 13계명)학습, 연습, 훈련에 집중하느냐 차이다.

4. 독자들이 이해하는 속도로 비유를 하면 2G 속도, 5G 속도 차이다.

5. 자동차로 비유를 하면 깡통 자동차, 풀 옵션 자동차 차이다.

6. 여자 화장으로 비유를 하면 노 메이크업, 풀 메이크업 차이다.

7. 요리로 비유를 하면 요리 재료인 당근, 양배추, 양파, 대파... 등을 통째로 넣느냐, 먹기 좋게 칼질해서 넣느냐? 차이다.

그만큼 책 표지는 책의 전부가 된다는 것을 명심하자!

지금부터는 출판계 혁신인 6가지 수입 창출을 지속적 (100년)으로 할 수 있는 방탄book기술력을 교육, 코칭할 때 망고보드를 활용해서 표지 만드는 방법을 오픈한다.

#. 출간한 책 종이책 150권, 전자책 250권 총 400권 출간 중 5권의 책 표지 디자인 설명을 하겠다.

디자인 마다 디자인 목표, 방향이 다르고 간격이 조금씩 다를 것이다. 똑같이 따라 할 수는 없지만 디자인 콘셉트, 방향을 파악하면 된다.

책 디자인 설명 5가지를 보면 "이런 콘셉트, 흐름으로 책 표지 디자인을 하는구나. 책 표지에서 어떤 의미를 보여 줘야 하는지 감이 온다. 책 표지에서 주인공을 어떻게 부각시켜야 되는지 알겠다."라는 느낌과 자신감이 생길 것이다.

종이책 표지 디자인 설명

③ 150PX

⑫ 300만원 동기부여 강의

⑤ 560PX

⑧

동기부여

UP

① 100PX

② 100PX

스마트폰은 사용하지 않아도 배터리가 소모되듯
동기부여 또한 숨만 쉬어도 소모가 된다.

"세계 최초" 동기부여 초고속 충전!

⑬

⑥ 440PX

⑭ ⑨ 동기부여
일타강사

강사야
대표 강사

특허청
등록

⑦ 215PX

⑩ 최보규 동기부여 일타강사

⑪ BOOKK

④ 120PX

★ 종이책 표지 디자인 설명

1) 《300만원 동기부여 강의》 책 표지 디자인 설명
- 책 앞면 표지 너비 1540PX ＊ 높이 2160PX
(부크크출판사 A5 규격 148+6(제단 선) ＊ 210+6(제단 선)= 너비 154mm ＊ 높이 216mm)

#. 효율적인 표지 날개, 표지 작업과 전자책(PDF) 표지 작업을 위해 너비, 높이를 픽셀(PX)로 작업했다. 픽셀이 아닌 mm로 작업해도 된다.
#. Pixrl(픽셀): 유튜브 썸네일, 상세페이지, 커뮤니티 게시판 등.
#. mm또는 cm: 명함, 라벨, 액자, 머그컵, 현수막 등.

①번, ②번: 핵심 디자인을 가운데 배치했을 때 좌, 우 여택을 주어 안정적인 시각적 효과를 주기 위한 기본 좌, 우 100PX이다. (디자이너마다 다르니 참고)
③번: 위에서부터 150PX (책의 가장 위쪽과 시작하는 디자인과의 안정적인 시각적 효과를 주기 위한 여유 공간)
④번: 위에서부터 120PX (책의 가장 밑쪽과 저자, 출판사 로고와의 안정적인 시각적 효과를 주기 위한 여유 공간)

⑤번: 위에서부터 520PX (책 제목과 제목의 디자인을 안정적인 시각적 효과를 주기 위한 위치)

⑥번: 밑에서부터 440PX (책의 가치를 어필하기 하고 디자인을 안정적인 시각적 효과를 주기 위한 위치)

⑦번: 밑에서부터 215PX (책의 가치를 어필하기 하고 디자인을 안정적인 시각적 효과를 주기 위한 위치)

⑧번: 핵심 존. 책 표지 디자인에서 주인공이라고 느낄 수 있게 디자인을 해줘야 하는 곳이다. 《300만원 동기부여 강의》 책 제목에서 가장 중요한 콘셉트 디자인이 무엇일 거 같은가? '300만 원? 동기부여? 강의?' 이 3가지를 다 어필할 수 있는 디자인이면 좋다. 그 중에서도 핵심 디자인 콘셉트는 강의다. 강의 콘셉트를 상징하고 어필할 수 있는 빔 프로젝터와 스크린을 활용하여 책을 볼 수 있는 궁금증 유발, 호기심 유발을 할 수 있는 핵심 디자인과 핵심 문구를 만들어야 한다. "기존에 알고 있는 동기부여 책과 차원이 다를 거 같다. 무조건 책 읽어 봐야겠다."라는 느낌이 들 수 있는 핵심 디자인을 해야 한다.

《300만원 동기부여 강의》이 책에 모든 것이 압축되어 알 수 있는 곳이고 주인공이기에 가장 신경을 써야 한다.

#. 화장으로 비유를 하면 외출할 때 하는 가벼운 화장

기법이 아닌 웨딩 촬영할 때 화장하는 풀메이크업을 해야 된다.

⑨번: **책의 가치, 내공, 값어치를 어필하기 위한 디자인이다.** 《300만원 동기부여 강의》 책의 가치, 내공, 값어치가 간접적으로 어필이 되어야 한다. 직접적으로 어필은 책 소개에서 하면 된다.

#. 책의 가치, 내공, 값어치를 어필하는 다른 예시를 참고하자.

동기부여 사용설명서, 직장인 필독 도서, 리더 필독 도서, 동기부여 지침서, 자기계발 지침서, 동기부여 바이블... 등

종이책 표지 디자인 설명

⑩번: 저자 이름. 저자 이름 보다 저자가 어떤 전문가 인지를 알리는 명칭을 쓰면 더 효과적이다.

⑪번: 출판사 로고. 부크크 홈페이지에서 '자주 묻는 질문'으로 들어가면 도서를 클릭하면 로고 파일 다운로드가 있다.

⑫번: 책 제목. ⑧번 핵심 존 디자인 좌우 사이즈를 경계로 제목을 디자인한다. 핵심 존 디자인 다음으로 잘 보여야 할 것이 제목 디자인이다. 제목이 주인공일 거 같지만 표지 전체적인 디자인에서 핵심 디자인 어필이 되어야만 제목이 가지고 있는 뜻의 의미가 극대화 된다. (핵심 존 좌우 간격 260PX, 디자인마다 가격이 다를 수 있다.)

한번 생각해 보자. 제목이 화려한데 핵심 디자인이 제목을 받쳐주지 못하면 책 제목의 화려함은 장점이 아닌 단점이 되어 버린다. 지금 시대 평균적인 사람들의 시각적인 심리를 잘 읽어야 한다. 하루가 멀다 하고 대중매체, 유튜브, 인스타그램, SNS 등으로 인해서 어마어마하게 화려한 영상, 이미지를 보고 있다. 수준이 높아진 시각적인 심리 상황에서 일단 디자인이 화려하지 않으면 어필이 되지 않는다는 것이다. 다음으로 나오는 《300만원 동기부여 강의》책 표지의 화려하지 않는 책 표지 버전과 화려한 책 표지 버전 비교한 것을 보면 좀 더 이해가 될 것이다.

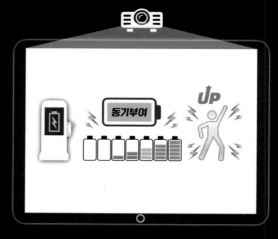

표지 비교

최보규 동기부여 일타강사

종이책 표지 디자인 설명

③ 150PX

⑫ 300만원
동기부여 강의

⑤ 560PX

⑧ 동기부여

UP

스마트폰은 사용하지 않아도 배터리가 소모되듯
동기부여 또한 숨만 쉬어도 소모가 된다.

"세계 최초" 동기부여 초고속 충전!

① 100PX

② 100PX

⑬

⑥ 440PX

⑭ ⑨ 동기부여
일타강사

강사야
대표 강사

특허청
등록

⑦ 215PX

⑩ 최보규 동기부여 일타강사

⑪ BOOKK

④ 120PX

⑬번: 배경 이미지. 《300만원 동기부여 강의》책은 강사가 강의하는 콘셉트이기에 강단을 화려하면서도 은은한 무대 사진으로 디자인했다. 배경 이미지가 화려해버리면 주인공이 죽는다. 배경 이미지는 제목 다음으로 조연배우다.

⑭번: 바탕색. 배경 이미지와 어울릴 수 있는 검정색으로 했다.

종이책 표지 디자인 설명인 ①번 ~ ⑭번까지 설명 내용을 보니 어떤 생각이 드는가?

20,000명 심리 상담, 코칭 하면서 쌓인 내공과 종이책 150권, 전자책 250권 총 400권 출간했던 내공으로 당신이 지금 어떤 생각이 들었고 어떤 궁금증이 생기는지 알아맞혀 보겠다.

"시중에 있는 책 쓰기 교육, 책 출간 코칭을 수십 번 듣고 시중에 있는 책 쓰기 책, 책 출간 책 수십 권을 봤는데... 그 누구 하나 설명하지 않고 설명 못하는 디테일한 책 표지 설명 내용을 보니 대단하다는 생각도 들고 존경하는 마음이 든다. 초보자 눈높이에서 세심하게 설명하는 마음에 책 표지 만드는 초보자라면 감동을 받을 수 있을 거 같다. 표지 디자인 마우(마우스만 움직일 줄 아는 우주 초보) 실력으로 이렇게 디테일하게 설명을 할 수 있다니 진짜 대단하다. 역시 종이책 150권, 전자책 250권 총 400권 출간한 내공 장난이 아니다. 이렇게 디테일하게 설명을 해줘도 디자인이라는 것을 처음 접하는 사람들은 힘들 거 같은데... ①번 ~ ⑭번 너무 할게 많은 거 아닌가? 뭐든 쉬운 게 없네... 좀 더 쉽게 하는 방법 없을까?"

사람마다 느끼는 것이 다를 수 있다. 하지만 20,000명 심리 상담, 코칭과 150권 출간 경력에서 나오는 평균치 데이터는 무시는 할 수 없을 것이다.

필자가 출판계 혁신인 방탄book기술력(6가지 수입 창출 시스템)100년 활용 할 수 있는 기술력)교육, 코칭에서 늘 하는 말이 있다. "아무리 쉬운 것도 해보지 않으면 우주에서 가장 어려운 것이고 알고 나면 우주에서 가장 쉬운 것이 됩니다."

필자가 2,000권 책을 보았다. 그 중에서 시중에 있는 책 쓰기, 책 출간 책을 30권 정도 봤고 책을 책 쓰기 교육, 강의 책 출간 교육, 강의를 몇 십 개를 보았다. 그 교육, 과정을 욕하는 것이 아니다. 오해하지 말고 들었으면 한다. 필자 기준에서 말을 하는 것이니 참고하길 바란다.

필자가 책 쓰기, 책 출간 교육, 강의를 듣고 봤던 내용들이 너무 어려웠다. 책 쓰기만, 책 출간만 하면 끝나는 방법들이 대부분이었고 힘들게 출간한 책이 3개월 후에라면 냄비 받침대가 되어 쓰레기 취급 당하는 상황들을 보면서 결심, 다짐의 결과가 지금 이 책을 쓰고 있는 것이다.

감히 말하건대 대한민국, 세계에서 책 쓰기, 책 출간을 이렇게까지 디테일하게 알려주는 사람은 없고 책도 없다. 계속 언급하지만 지금 이 책을 보고 있는 당신은 인생에 천재일우(천 년에 한 번 만난다는 뜻으로 좀처럼 만나기 어려운 기회) 온 것이니 조상에서 감사하고 "내가 인생을 지금까지 잘 살아서 이런 기회가 오는구나!"라는 마음으로 제대로 배우길 바란다.

다른 책 쓰기, 책 출간 책들은 독학할 수 없는 내용들이다. 왜 어려운지 아는가? 독학할 수 있는 디테일한 설명이 없는 것도 있지만 가장 중요한 것은 책 쓰기, 책 출간을 독학했더라도 초보자 눈높이에 맞춰서 설명을 못한다는 것이다. 처음 배울 때 어렵고 힘든 점을 극복하고 능숙하게 할 수 있는 수준까지 올라가면 초심을 까먹는다는 것이다. 한마디로 망각을 한다. 그래서 초보자 눈높이에서 책 쓰기, 책 출간 교육, 강의가 아닌 "이 정도는 알겠지"라는 태도로 올챙이 시절 기억을 못하는 교육자, 코칭 전문가들이 대부분이다. 스포츠계 격언 중에 '스타플레이어 출신은 명감독이 될 수 없다'라는 말이 있다. 상대방 눈높이가 아닌 자신이 했던 방법으로 고집부리고 알려주면서 "이런 것도 못하나?"라는 태도로 알려주기 때문이다.

다음 내용은 자신 생각을 바꾸기 위해서, 상대방 생각을 바꾸기 위해서 교육, 코칭 할 때 무엇을 먼저 해야 되는지 깨닫게 해주는 스토리텔링이다.

- 자신 생각을 바꾸는 데는 책 1톤이 필요하고 상대방 생각을 바꾸는 데는 책 2톤이 필요하다!
다음은 리더가 상대방을 변화시키기 위해 가장 먼저 해야 할 것이 무엇인지 깨닫게 해주는 스토리텔링이다.

스포츠계 격언 중에 '스타플레이어 출신은 명감독이 될 수 없다'라는 말이 있다. 선수 시절의 성과와 명성에 비해 감독으로서 기대에 못 미쳤던 사례가 많았던 것을 두고 하는 말이다. 물론 최근에는 스타플레이어 출신이면서도 선수 시절 못지않은 성과와 명성을 나타내는 감독들의 사례가 점차 늘어나는 추세지만, 여전히 많은 사람들에게는 '스타플레이어 출신은 감독으로 성공하기 어렵다'라는 인식이 자리 잡고 있는 것도 사실이다. "아니 이 플레이가 왜 안 되지?" 많은 이들은 스타플레이어 출신의 지도자가 성공하기 힘든 이유를 '자신의 성공 경험을 근거로 선수들의 플레이를 바라보고 그 결과를 이해할 수 없기' 때문이라고 한다. 즉, 선수들을 공감하지 못한다는 것이다. 그러나 필자는 스타플레이어 출신의 감독들이 성공하지 못하는 이유가 '공감 능력의 결여'보다 '감독 역할에 대한 명확한 인식과 충분한 준비 없이' 리더로 선임되었기 때문이라고 생각한다. 선수 시절에는 자신에게 주어진 역할만 수행하면 되었지만, 감독은 선수 개개인과 팀 전체를 모두 바라보고 그들이 성공을 거둘 수 있도록 노력해야 하는 완전히 다른 성격의 역할이기 때문이다. 그럼에도 불구하고 여전히 스포츠 현장에서는 스타플레이어 출신의 성공을 막연하게 기대하면서 쉽게 감독 역할을 맡기는 경우도 빈번하게 일어나고 있다. 그래서 스포츠계 일각에서는 이러한 시행착오를 줄이기 위해 스타플레이어 출신의 지도자를 바로 감독의 포지션에 올려놓기보다 다양한 현장 경험을 쌓게 한 후 감독으로 선임하는 움직임도 나타나고 있다.

많은 기업과 조직에서도 리더를 선임할 때, 후보자의 과거 성공 경험만을 근거로 역할을 부여하는 사례들을 쉽게 볼 수 있다. 물론 과거의 성공 경험은 리더로 성장하는 과정에서 중요한 역할을 해줄 것이다. 하지만 실무자와 리더는 완전히 다른 차원의 영역이다. 성공한 실무자가 리더로서도 성공할 것이라고 막연하게 기대하는 것은 마치 '잭팟이 터지길 기대하며 나의 전 재산을 베팅하는 위험한 도박'과도 같다. 리더 후보자가 다양한 학습과 경험을 통해 실무자로서 성공했듯이, 성공하는 리더로 성장하기 위해서도 충분한 학습과 경험이 필요하다. 리더가 갖춰야 할 폭넓은 시각과 리더십은 하루아침에 생겨나지 않는다. 우리 조직에 역량 있는 리더들이 많아지길 원한다면 '누구에게 리더를 맡길까?'라고 고민하기 이전에 '성공하는 리더가 되게 하려면 어떤 학습과 경험을 제공할 것인가?'에 대해 진지하게 고민하고 실천하는 것이 무엇보다 우선되는 과제라고 생각한다.

<브론치 라운드에 지혜, 구선생>

2002년 한일 월드컵이 끝나고 이영표 선수의 인터뷰 중한 장면이다. "우리나라가 세계 4강이라는 놀라운 성적을 거두었습니다. 계속 좋은 성적을 유지하려면 어떤 선수가 필요할까요?" 아나운서의 질문을 받은 이영표 선수는 잠시 머뭇거리더니 이렇게 답했다. "우리나라에는 좋은 선수가 아니라 좋은 선수를 길러내는 코치가 더 필요합니다." 축구를 잘하는 것과 축구를 잘하도록 가르치는 것은 다르다는 말이다.

《강의력》

자신의 생각을 바꾸는 데는 책 1톤이 필요하고 리더 코 칭 전문가는 의뢰자, 가족, 아내, 남편, 자녀, 직원, 조직 체원...등 생각을 바꿔주기 위해서는 책 2톤의 내공이 있 어야 한다. 책 1권 평균 500g(평균 250페이지)이다. 1,000권이면 500kg, 2,000권이면 1톤이다. 책 1,000권 을 읽으면 자신의 가치관이 바뀌고 책 2,000권을 읽으 면 상대방을 바꿀 수 있다는 것이다. 그만큼 리더 코칭 전문가는 상대방을 바꿀 수 있는 내공이 있어야만 하는 것이다.

20,000명 심리 상담, 코칭 하면서 뼈저리게 느끼는 것 이 있다. 사람이 30년을 살면 바뀌지 않는 가치관이 생 기고 60년을 살면 신도 바꿀 수 없는 가치관이 형성된 다는 것을 알게 되었다. 하나 더 추가를 하면 한 분야 20년 이상 경력이 있는 사람은 100년의 경력을 갖고 있 는 경력자도 바꿀 수 없는 가치관이 생긴다.
그래서 리더 코칭 전문가는 자신 분야를 학습, 연습, 훈 련하는 것은 당연한 것이고 불특정 다수의 사람들, 상황 들 코칭을 하기 위해서는 평균적으로 사람들이 걱정, 고 민들을 학습, 연습, 훈련을 꾸준히 해야 한다.
《리더의 방탄 인간관계 7》

자신 생각을 바꾸기 위해서는 책 1톤(2,000권), 상대방 생각을 바꾸기 위해서는 책 2톤(4,000권)의 내공이 있어야만 가능하듯이 시중에 책 쓰기, 출간 교육, 코칭 전문가들 중 내공 있는 사람들이 없어서 책 쓰기, 책 출간 책을 보더라도 독학하기 힘들다는 것이다. 내공이 있더라도 따라 하기 쉽게 사용 설명서를 만들어 놓은 사람들이 없다.

《PPT로 책출간》책을 통해서 말하고 싶은 것은 책 쓰기, 책 출간을 순서대로 따라 한다면 얼마든지 독학으로 가능하다고 말을 하고 싶다는 것이다.

그럼에도 불구하고 "최보규 방탄book 코칭전문가님 저는 멘토도 되어주고 150년 a/s, 피드백, 관리 받을 수 있는 방탄book기술력을 배우고 싶습니다."라는 마음이 드는 사람들은 상담 받길 바란다.

"당신은 제가 좋은 사람이 되고 싶도록 만들어라"라는 마음을 들게 하는 멘토가 되어 주겠다.

이제 부터는 종이책 표지 디자인 설명 2), 3), 4), 5)를 설명하겠다. 가장 빠르게 배우는 방법은 만들어 놓은 것을 계속 반복적으로 익숙해질 때까지 보고 경험하며 실습을 해보는 것이다. 종이책 표지 디자인 설명 2), 3), 4), 5)는 어떤 콘셉트로 만들어 졌는지 집중해서 보길 바란다.

종이책 표지 디자인 설명
③
① PPT로 책 출간
② PPT로 100년 수입 창출 책 쓰기, 책 출간
④
⑤
⑥
300만원 동기부여 강의
1조 리더십 강의
⑦
⑧
BOOKK
"최초" PPT로 책쓰기 사용 설명서
"최초" PPT로 책출간 사용 설명서
"최초" 방탄 책쓰기 지침서
최보규 방탄책쓰기 전문가
BOOKK

2)《PPT로 책 출간》책 표지 디자인 설명

#. 좌, 우, 위, 아래 기본 픽셀(PX) 사이즈는 1표지 제작과 동일하기에 1표지 설명을 참고하길 바라고 빠른 설명을 위해 표지 콘셉트 설명만 하겠다.

①번: 책 제목. 처음 생각한 제목이 강의 교안으로 책 쓰기고 책 출간이었다. 강의 교안으로 해버리면 강사 직업만 한정 짓는 거 같아서 PPT를 활용하는 모든 사람들이 볼 수 있는 제목을 만들기 위해서 책 제목을 《PPT로 책 출간》으로 정했다. 책 제목에서 책이 추구하는 목표, 방향, 대상, 연령층, 직업군... 등 한마디로 타겟층이 명확하게 나와야 한다. 가장 중요한 것은 시중에 나와 있는 책 제목과 차별화가 있어야 되고 끌려야 한다. 책 표지 디자인의 차별화가 70% 라면 책 제목 차별화는 30%다.

자신이 책 쓰고 싶은 분야 책 제목을 포털 사이트에서 검색을 해보고 책 쓰고 싶은 분야 책을 100권 정도 보면 어떤 제목들이 많고 디자인은 어떤지 평균적인 감이 올 것이다. 그런 다음 자신이 쓰고 싶어 하는 책 분야 현실 트랜드, 타겟층의 심리까지 어느 정도 파악해서 책 제목을 만든다면 차별화된 책 제목이 나올 것이다.

②번: 부제목. 말 그대로 부제목이다. 제목을 뒷받침해서 책 목표, 방향을 좀 더 구체적으로 알려주는 부제목이다. 사람의 심리는 글보다는 시각적인 이미지가 더 강력하게 반응하지만 이미지를 폭발 시키는 것이 압축적인 핵심 문구다. 제목만 있을 때와 부제목이 같이 있을 때 차이는 개미와 코끼리 차이다. 부제목이 책의 전부를 설명하는 경우도 있다.

③번: 책 제목 디자인. 말 그대로 제목을 강조하기 위한 디자인이다. 직사각형으로 디자인할 수 있었지만 책 제목이 책 출간이기에 책을 상징하는 디자인으로 했다. 직사각형과 책을 연상시키는 디자인 차이점이 확연히 보일 것이다. 어떤 옷을 입느냐에 따라 스타일이 살고 죽듯 책 제모 디자인 또한 어떻게 하느냐에 따라 제목을 살리고 죽인다.

종이책 표지 디자인 설명

③ PPT로 책 출간
①
② PPT로 100년 수입 창출 책 쓰기, 책 출간

④ ⑤ ⑥ ⑦ ⑧

"최초"
PPT로 책쓰기
사용 설명서

"최초"
PPT로 책출간
사용 설명서

"최초"
방탄 책쓰기
지침서

최보규 방탄책쓰기 전문가　　　BOOKK

④번: 책 표지 디자인 핵심 존. 책 제목이 느낄 수 있는 이미지를 만들어야 한다. 단순하게 PPT 아이콘 이미지에 책 이미지로 넣는다면 뻔한 책 표지가 되어 버린다. 좀더 차별화를 주고 시중에 있는 다른 책과 다른 콘셉트를 주기 위해서 로봇 조립 장감만을 사면 부품들이 하나씩 연결 되어 있는 디자인을 토대로 책 아이콘이 아닌 진짜 책을 출간한 책 이미지를 넣었다.

결과물(출간한 책)을 넣어야만 더 삼성(진정성, 전문성, 신뢰성)이 어필 된다.

종이책 표지 디자인 설명

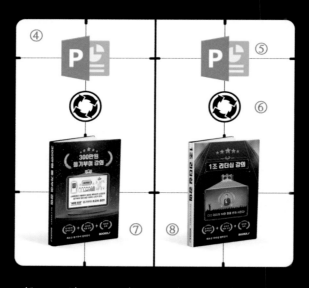

① PPT로 책 출간
② PPT로 100년 수입 창출 책 쓰기, 책 출간

"최초"
PPT로 책쓰기
사용 설명서

"최초"
PPT로 책출간
사용 설명서

"최초"
방탄 책쓰기
지침서

최보규 방탄책쓰기 전문가   BOOKK✎

⑤번: PPT 아이콘. 책 제목에 맞는 직관적인 아이콘으로 디자인했다.

⑥번: 바꾸는 아이콘. PPT를 책으로 바꾸는 아이콘이나 업데이트 아이콘으로 디자인했다.

⑦번, ⑧번: 3D입체 표지. PPT를 책으로 출간한 책 3D 입체 표지로 디자인했다. 결과물을 만들어 냈던 실제 이미지로 디자인하면 삼성(진정성, 전문성, 신뢰성)이 어필된다.

3) 《리더십 PT 1》 책 표지 디자인 설명
#. 좌, 우, 위, 아래 기본 픽셀(PX) 사이즈는 1표지 제작과 동일하기에 1표지 설명을 참고. 빠른 설명을 위해 표지 콘셉트 설명만 하겠다.

①번: 책 제목. 《리더십 PT 1》 책은 1 ~ 11까지 있다. 책 제목을 짓기 위해 많은 검색과 생각을 했고 뻔한 리더십 책 제목이 아니라 책이 추구하는 목표, 방향을 정확하게 들어낼 수 있는 책 제목을 짓기 위해 고민을 많이 했었다. 1,000년이 흘러도 제목이 시대에 뒤처지는 않는 책 제목을 만들고 싶었다.

어느 날 방탄book기술력 코칭을 하러 가는 중에 헬스 PT 전단지가 보였다. 순간 피카츄 100만 볼트 전기가 머리를 스쳤다.

헬스 PT 뜻은 Personal Training의 약자로 1대1 맞춤형 트레이닝이다. 사람마다 다른 체형별 운동을 지도해 목적과 목표에 맞는 운동 방법을 제시하는 것이다. 한마디로 체계적인 시스템 안에서 운동을 헬스 전문가에게 배우는 것이다.

리더십도 마찬가지다. 위치가 사람을 만드는 것이 아니

라 리더십을 체계적으로 시스템 안에서 학습, 연습, 훈련하지 않으면 위치가 사람을 망치고 인재를 떠나게 하여 회사를 망하게 한다. 그래서 세계 최초로 리더십 PT 시스템을 만들었다. 특허청 등록으로 검증된 리더십 PT 11권 책 제목이 되었다.

종이책 표지 디자인 설명

⑦

① 리더십 PT 1

③

앞서가는 리더는 PT한다!

② 압도적 차이를 만드는
방탄 리더십 PT

④

⑦

⑤

⑥ 세계 최초
방탄PT

리더십PT
사용 설명서

리더PT
매뉴얼

최보규 방탄동기부여 전문가

BOOKK✎

②번: 부제목. 제목을 뒷받침해서 책 목표, 방향을 좀 더 구체적으로 알려주는 부제목이다. 20,000명 심리 상담, 코칭 하면서 알게 된 것은 대부분 사람들은 '차별화를 주기 위해서 힘써야 된다.'라고 알고 있다. 차별화보다 더 강력한 것이 어떤 걸까? 생각과 고민을 하던 중 우주에서 가장 사랑하는 아내가 '앞도적 차이'라는 말을 하는 것이었다. 순간 피카츄 200만 볼트 전기가 머리를 스쳤다. 그래서 앞도적 차이를 만드는 방탄 리더십 PT 라는 부제목을 만들었다. 방탄리더십이 추구하는 목표, 방향이 강력하게 전달되는 문구를 만들어서 존경하는 아내에게 늘 감사한다.

③번: 책 제목 디자인. 제목의 날개를 달아주는 디자인 이다. 헬스는 누구나 하지만 헬스 PT는 아무나 받지 않 듯이 리더십은 누구나 있지만 리더십 PT는 아무나 받지 않는다는 의미가 담겨있는 이미지다. ④번, ⑤번 책 표지 핵심 이미지를 뒷받침해주는 이미지다.

④번, ⑤번: 책 표지 핵심 이미지. 부 제목인 앞도적 차이를 만드는 방탄 리더십 PT를 상징하며 리더십 PT 책 전체 디자인을 한방에 느끼게 해줄 수 있는 역동적이고 강력함을 느끼게 해주는 불꽃 총알 디자인이다.
"이 책을 보면 리더십 PT 받으면 나도 기존에 있는 리

더보다 앞서가는 리더가 될 수 있겠다."라는 메시지를 주는 디자인이다.

⑥번: 책 타이틀. **책의 가치, 내공, 값어치를 어필하기 위한 디자인이다.** 세계 최초 방탄 PT, 리더십 PT 사용 설명서, 리더 PT 매뉴얼.

#. 책의 가치, 내공, 값어치를 어필하는 다른 예시) 동기부여 사용설명서, 직장인 필독 도서, 리더 필독 도서, 동기부여 지침서, 자기계발 지침서, 동기부여 바이블... 등

⑦번: 바탕 이미지. 리더십 PT를 받으면 리더의 가능성은 무한하다는 것을 어필하기 위한 우주와 별빛이 있는 이미지 디자인.

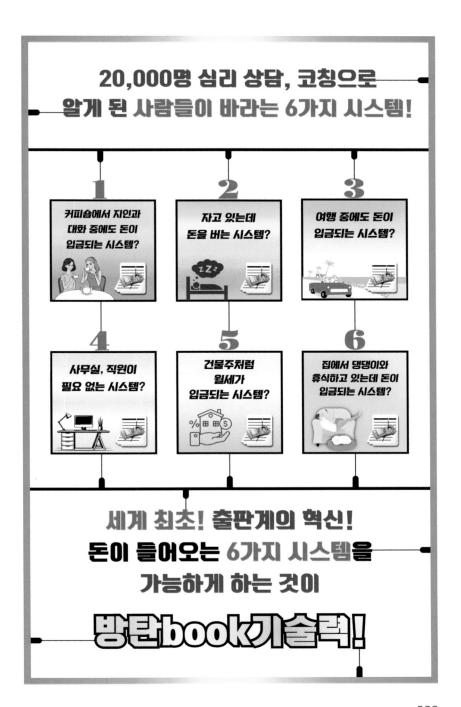

②
★★★★★
세계 최초

① 나다운
방탄습관블록

④

⑥

최보규 지음

BOOKK

지금까지 알고 있는 습관 공식은 잊어라!
당신이 그토록 찾고 있던 습관 공식!
세상 모든 것이 변해도 ③
나다운 방탄습관블록은 변하지 않는다.
습관 아인슈타인!
⑦

★★★★★
"최초"
습관 바이블
⑤

4) 《나다운 방탄습관블록》 책 표지 디자인 설명

\#. 좌, 우, 위, 아래 기본 픽셀(PX) 사이즈는 1표지 제작과 동일하기에 1표지 설명을 참고. 빠른 설명을 위해 표지 콘셉트 설명만 하겠다.

①번: 책 제목. 《나다운 방탄습관블록》 책은 필자가 어떤 사람인지, 앞으로 어떻게 살아갈지 알게 해주는 책이다. 보통 사람들의 자서전과 차원이 다른 책이다. 《나다운 방탄습관블록》 책 구성이 몸 습관블록 쌓기, 머리 습관블록 쌓기, 마음 습관블록 쌓기로 되어 있다.

습관의 본질과 381가지 몸, 머리, 마음 습관을 만들면서 깨달은 것이 있다. 습관을 만드는 것보다 중요한 것이 가지고 있는 좋은 습관들을 지키는 것이 시작이 되어야만 좋은 습관들을 레고 블록처럼 쌓을 수 있다는 것을 알았다.

이런 깨달음으로 습관 책을 집필하면서 처음에는 책 제목을 나다운 습관으로 만들었다. 최보규 방탄book 코칭 전문가의 첫 번째 멘토인 우주에서 가장 사랑하는 아내와 습관 책에 대해서 대화를 하는 중에 아내가 하는 말이 "습관을 보호하는 게 먼저면 방탄 케이스가 스마트폰을 보호해 주듯 방탄 습관이 되어야겠네? 제목을 나다운 방탄습관블록이 어울릴 거 같은데?"라는 말에 순간 피카츄 300만 볼트 전기가 머리를 스쳤다. 45년간 381가지 습관을 통해 습관의 본질과 몸 습관블록 쌓기, 머리 습관블록 쌓기, 마음 습관블록 쌓기를 한 문장으로 압축해서 말할 수 있게 해주는 것이 《나다운 방탄습관블록》책 제목이었다.

그때를 회상하면 장기, 바둑을 둘 때 훈수하는 사람(훈수도 내공이 있어야 한다)이 더 잘 두듯 옆에서 조언해주는 사람의 힘이 얼마나 대단한지를 새삼 느꼈던 상황이었다. 책 쓰기, 책 출간에 직접적으로 눈을 뜨게 한 책이 《나다운 방탄습관블록》책 출간이었다. 《나다운 방탄습관블록》책으로 인해 종이책 150권, 전자책 250권 총 400권 출간할 수 있었다고 감히 말하고 싶다.

②번: 책 제목 디자인. 세계 최초라고 하면 사람들이 물어 본다. "진짜 세계 최초로 만든 거 맞냐고? 그걸 어떻게 알 수 있냐고? 세계 최초를 너무 남발하는 거 아니냐고?" 왜 자신 있게 세계 최초라고 말을 하는지 아는가? 세계 최초인지 아닌지 어떻게 알 수 있을까? 검색을 해서 알 수 있을까? 아니다.
세계 인구 80억 명이다. 사람의 지문이 같은 사람이 없듯이 나다움 또한 같은 사람이 없다는 것이다. 한마디로

306

나답게 만들면 세계 최초가 되는 것이고 세계에서 똑같은 것이 나올 수가 없다는 것이다.

백 번, 천 번 양보해서 설령 책 제목이 똑같은 게 있을 수 있지만 책 내용은 나답게, 최보규답게 집필했기 때문에 세계 최초가 되는 것이고 우주에서 유일한 것이 되는 것이다. 이제 이해가 되는가? 그래서 제목을 뒷받침해주는 '세계 최초'라는 디자인을 한 것이다.

③번: 책 핵심 문구. 책 핵심 디자인도 있지만 책 핵심 문구도 있다. 이미지를 부연 설명해 주는 것이 텍스트다. 이미지를 극대화해 주는 것이 핵심 문구다. 뻔하고 식상한 핵심 문구가 아니라 "우와! 이건 뭐지? 처음 듣는 말인데... 기존에 알고 있는 내용에서 볼 수 없는 문구인데... 보고 싶게 만드는 문구다."라는 책 핵심 디자인으로 부족했던 2%를 핵심 문구로 100%를 채워야 한다. 다음으로 나오는 2% 부족한 문구, 100%를 채워주는 문구의 비교 이미지를 보자.

책 표지 핵심 문구 당신의 선택은?

핵심 이미지가 스마트폰 본체라면 핵심 문구는 배터리다.

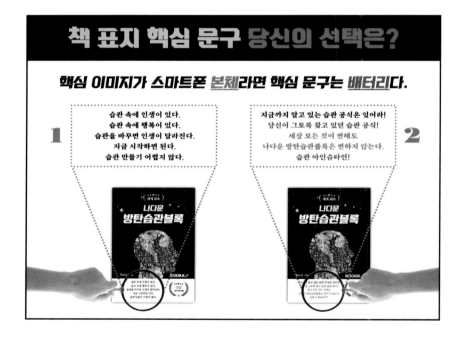

1

습관 속에 인생이 있다.
습관 속에 행복이 있다.
습관을 바꾸면 인생이 달라진다.
지금 시작하면 된다.
습관 만들기 어렵지 않다.

2

지금까지 알고 있는 습관 공식은 잊어라!
당신이 그토록 찾고 있던 습관 공식!
세상 모든 것이 변해도
나다운 방탄습관블록은 변하지 않는다.
습관 아인슈타인!

평균 희망 은퇴 73세, 현실 은퇴 나이 49세!
100세 시대 언제까지 몸(노동)으로만
일해서 돈을 벌 것인가?

세상, 현실 기준에서 스펙, 돈, 인맥, 자산 등이
없어서 100세까지 노동을 해야 되고 몸까지 아
프면 더 답이 없는 상황! 젊을 때는 100가지 중
99가지를 할 수 있지만 나이 들면 100가지 중
99가지를 할 수 없다. 3고 시대, AI 시대, 챗
GPT 시대에 자신의 직업이 사라 질 수 있는 상황
에서 어떻게 준비, 대비할 것인가?

방탄BOOK기술력
선택이 아닌 필수!

세계 최초
방탄
BOOK
기술력

② ★★★★★
세계 최초

나다운
방탄습관블록

①

④

⑥

최보규 지음

BOOKK✎

지금까지 알고 있는 습관 공식은 잊어라!
당신이 그토록 찾고 있던 습관 공식!
세상 모든 것이 변해도 ③
나다운 방탄습관블록은 변하지 않는다.
습관 아인슈타인!

★★★★★
"최초"
습관 바이블

⑤

⑦

310

④번: 책 표지 핵심 이미지. 《나다운 방탄습관블록》책 본질인 "만들었던 좋은 습관을 보호하고 앞으로 만들고 싶은 습관을 만들었을 때 외부로부터 만든 습관을 보호할 수 있어야 한다."라고 했다. 보호하고 방어할 수 있는 단단함을 어필할 수 있는 콘셉트로 디자인을 하고 싶었다.

사람의 모든 것은 뇌에서 시작하기에 머리(뇌)를 단단하게 표현 할 수 있고 단단함의 상징인 화려한 다이아몬드를 연상하게 하는 이미지 디자인을 선택했다. 그리고 이미지에 물음표가 있다. 물음표의 의미는 나다운 습관을 만들어 가기 위해서 끊임없이 의문점을 가지고 학습, 연습, 훈련을 해야 한다는 의미다.

⑤번: 책 타이틀. bible뜻은 어떤 분야에서 지침이 될 만큼 권위가 있는 책이라는 의미다. 습관분야 베스트셀러, 45년 간 습관 381가지 만듦, 20,000명 심리 상담, 코칭 경력, 2,000권 독서, 책 종이책 150권, 전자책 250권 총 400권 출간 경력으로 만들었기에 습관 바이블이라고 디자인 했다.

⑥번: 바탕 이미지. 자신은, 나다움은 우주에 한명 뿐이라는 의미로 디자인 했다.

⑦번: 바탕 경계 이미지. 책 핵심 문구를 어필하기 위한 경계 이미지로 디자인 했다.

5) 《방탄 리더 동기부여 1》책 표지 디자인 설명
#. 좌, 우, 위, 아래 기본 픽셀(PX) 사이즈는 1표지 제작과 동일하기에 1표지 설명을 참고. 빠른 설명을 위해 표지 콘셉트 설명만 하겠다.

①번: 책 제목. 일반 사람에게도 동기부여가 필요하지만 리더에게는 일반 사람들과 다른 동기부여가 필요하다. 리더 자신이 동기부여를 하지 못하는데 자신을 따르는 사람을 어떻게 동기부여를 시키겠는가? 지금 시대는 위치가 사람을 만드는 것보다 위치가 사람을 망치는 경우가 더 많다. "옷걸이가 걸쳐지는 옷들이 자신인 마냥 착각하는 리더"라는 태도로 리더 위치에서 주어진 타이틀, 벼슬, 권력이 영원할 것이라는 착각 속에 산다.

리더의 자만심, 권위주의, 꼰대심(리더병)으로 부터 자신의 리더십을 보호을 하기 위한 방향 제시와 세상, 현실, 주위 사람들의 참견으로부터 휩쓸리지 않는 통찰력을 향상시키는 내용이기에 책 제목을 방탄 리더 동기부여로 정했다.

②번: 부제목. "우리 리더는 제가 좋은 사람이 되고 싶도록 만들어요!" 이 말은 리더가 자신을 따르는 사람들 동기부여 시켜주는 가장 강력한 동기부여다. "우리 리더

는 제가 좋은 사람이 되고 싶도록 만들어요!" 이 말을 듣기 위한 리더 동기부여 책이다.

"우리 리더는 제가 좋은 사람이 되고 싶도록 만들어요!" 이 말속에 담겨 있는 의미가 많다. 10,000개 중에 10개만 알려주겠다.
1. "들어라 말하지 않아도 듣게 한다."
2. "따르라 말하지 않아도 따르게 한다."
3. "믿어라 말하지 않아도 믿게 한다."
4. "해라가 아니라 함께 하자"
5. "우리 리더와 100년 함께 하고 싶다."
6. "리더에게 도움이 되는 사람이 되기 위해 성장해야 겠다."
7. "우리 리더는 삼성(진정성, 전문성, 신뢰성)이 있다."
9. "나 자신은 못 믿겠는데 나를 믿어주는 리더가 있어서 자신감이 생긴다. 리더와 함께라면 나도 성공할 수 있을 거 같다."
10. "나도 누군가에 '우리 리더는 제가 좋은 사람이 되고 싶도록 만들어요.'라는 듣기 위해 내 위치에서 최선을 다해야겠다."

③번: 책 표지 핵심 이미지. 계단은 계기, 동기부여, 멘토를 의미한다. 계기가 있어야 인생 한 단계 도약하고

314

동기부여가 되어야 한 단계 변화하며 멘토로 인해서 한 단계 성장한다. 여기에서 가장 중요한 것은 멘토다. 멘토는 비대면 멘토, 대면 멘토로 나누어진다. 비대면 멘토는 책, 동기부여 영상이 있고 대면 대면 멘토는 강사, 교육자, 코칭 전문가가 있다. 책 표지 이미지에서 계단을 오르는 사람은 목표, 꿈을 이루기 위해서는 멘토에게 동기부여를 받아야만 한 계단씩 오를 수 있다는 의미이다. 계단 정상에 또 다른 이미지에 계단 시작은 멘토에게 동기부여로 인해 꿈, 목표를 이룬 뒤 또 다른 계단 (성공한 인생)을 오르기 위한 동기부여를 해야 된다는 의미다. 꿈, 목표를 이루었다고 끝이 아니라는 의미며 멘토의 동기부여를 어떻게 받느냐에 따라서 인생이 달라진다는 책 표지 핵심 이미지에 의미다.

멘토의 동기부여를 받지 못하면 삶의 신호와 소음 구분이 힘들어진다. 신호는 자신에게 배움, 변화, 성장에 도움이 되는 것이고 소음은 자신 배움, 변화, 성장을 방해한다. 인생을 살면서 가장 큰 신호, 소음을 주는 것이 사람이다. 신호를 주는 사람, 소음을 주는 사람이 있다.

방탄 리더 동기부여가 인생의 신호를 주는 사람, 소음을 주는 사람을 구분하게 해준다.

④번: 책 타이틀. 방탄 리더 동기부여는 대한민국 최초, 세계 최초이다.

⑤번: 바탕 이미지. 검은색 바탕에 진한 핑크색 점으로 이루어진 디자인은 모든 것들은 작은 점에서 시작한다는 의미다. 앞이 깜깜한 인생에서 사소한 동기부여가 누적이 되어 인생을 밝게 한다는 의미다.

Google 자기계발아마존

▶ YouTube 방탄자기계발

NAVER 나다운강사1

NAVER 최보규

3D 입체 표지 디자인

Google 자기계발아마존

YouTube 방탄자기계발

나다운 방탄 카피 사전

노재광　최보규

나다운 방탄 카피 사전

마데카솔 방탄 카피
후시딘 방탄 카피
세상 속 상처
현실 속 상처

BOOKK

NAVER 나다운방탄카피

NAVER 최보규

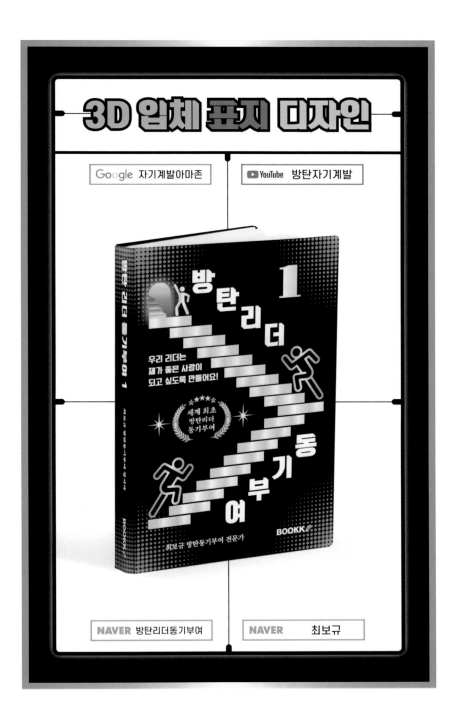

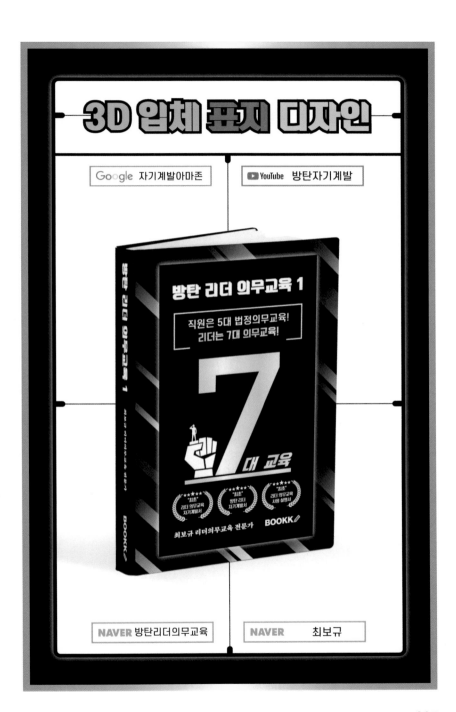

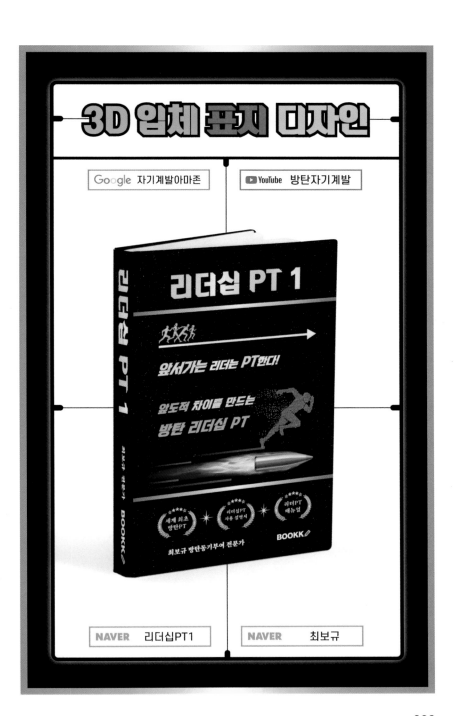

종이책 150권, 전자책 250권 총 400권 출간 출간했던 3D 입체 표지 샘플을 보면서 어떤 생각이 들었는가?

20,000명 심리 상담, 코칭 하면서 쌓인 내공과 종이책 150권, 전자책 250권 총 400권 출간 했던 내공으로 당신이 지금 어떤 생각이 들었고 어떤 궁금증이 생기는지 맞혀 보겠다.

"표지 앞면 디자인과 3D 입체 표지 디자인 차이가 많이 난다. 3D 입체 표지가 진짜 책처럼 생동감이 느껴진다. 그런데 인터넷 서점에서 검색을 해보면 3D 입체 표지가 아니라 2D 표지 앞면만 나오던데? 가끔씩 책 상세 설명에 나오는 것을 종종 본거 같은데... 주로 3D 입체 표지 어디에 쓰는 거지? 진짜 마우(마우스만 움직일 줄 아는 우주 초보)실력으로 포토샵에서 가능한 3D 입체 표지 디자인을 할 수 있다고? 믿어지지 않는데? 마우(마우스만 움직일 줄 아는 우주초보)실력으로 만들 수 있다면 제대로 배워 보고 싶다."

3D 입체 표지는 책 마케팅을 할 때 필요하다. 책 앞면 표지 디자인만 했을 때 홍보 이미지와 3D 입체 표지 디자인했을 때 홍보 이미지 차이는 많이 난다. 2D와 3D 차이라고 보면 된다.

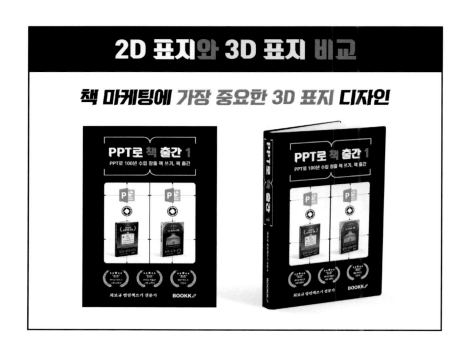

인생은 어떤 사람(멘토)을 만나느냐에 따라 달라지고 자신 분야 전문성은 어떤 도구를 활용하느냐에 따라 달라진다.

단언컨대 마우(마우스만 움직일 줄 아는 우주 초보) 실력으로 책 표지를 만들 수 있다면 3D 입체 표지도 도구(프로그램)를 활용해 만들 수 있다. 3D 입체 표지 디자인 만드는 방법 시작한다. 집중!

★ 3D 입체 표지 디자인 만드는 방법
① 무료 목업 사이트 https://diybookcovers.com/
만들어 놓은 표지(1540px * 2160px)를 사용 하면 된
다. diybookcovers 사이트 홈페이지에 들어가서 메인화
면 중간쯤에 무료 3D 도서 모형 만드는 버튼이 있다.

총 3단계로 이루어져 있다.
1단계는 3D모형을 선택.
2단계는 표지 이미지 선택.
3단계는 무료 모형 다운로드.
누구나 쉽게 할 수 있는 순서이니 특별한 설명이 필요
가 없다. 그럼에도 불구하고 힘들다면 네이버에서 3D
입체 표지 만들기 검색하면 설명을 해놓은 블로그들이
많다.

② 유료 목업 사이트 플레이스잇 https://placeit.net/
필자는 플레이스잇 프로그램을 활용하고 있다. 3D 입체
표지 디자인도 많고 표지 활용할 수 있는 플랫폼(책 표
지 동영상 제작)도 많다. 유료를 써야 되는 이유는 무료
면 많은 사람들이 쓰기에 경쟁력이 떨어진다. 그래서 제
대로 할 거라면 유료를 쓰고 대충 하거나 책으로 돈을
벌 생각이 아니라면 무료를 쓰면 된다.

유료 3D 입체 표지 디자인

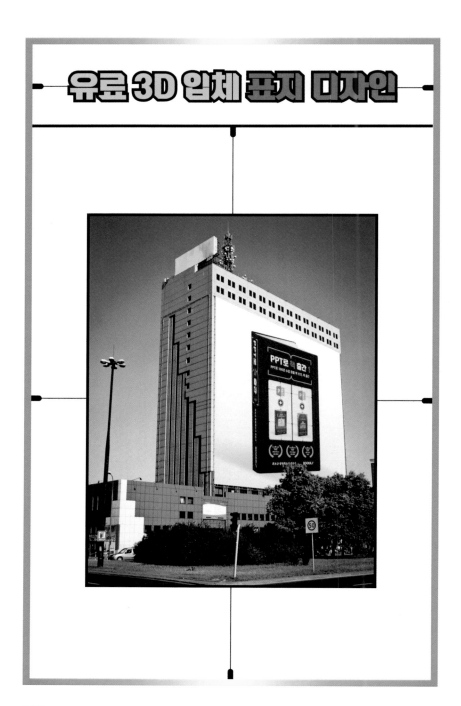

338

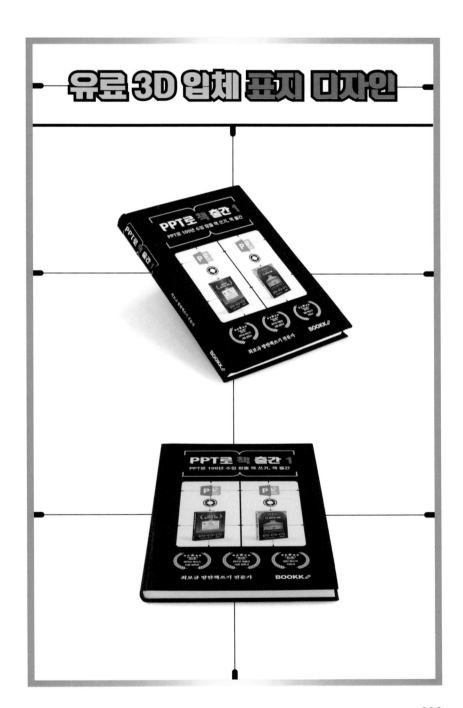

날개 표지 디자인 샘플

날개 표지 이미지

출간한 책 이미지

342

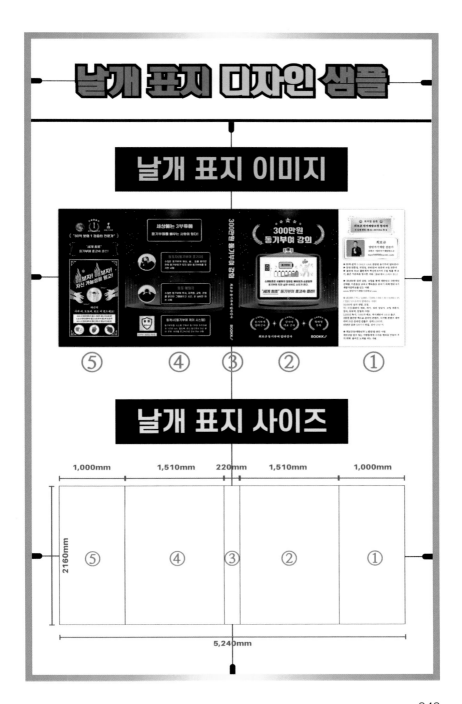

책 앞면 날개 표지

🔵 특허청 등록 🔵
최보규 자기계발코칭 창시자
★ 등록 번호: 제 40-2072344 호 ★

최보규
방탄자기계발 전문가
유튜브 〈방탄자기계발최보규〉
nice5889@naver.com

★ 80억 분의 1 ONLY ONE 검증된 동기부여 일타강사!
★ 삼성(전문성, 진정성, 신뢰성)이 검증된 코칭 전문가.
★ 출판계 최초! 출판계의 혁신인 6가지 수입 창출 책 쓰기, 출간 기술력을 창시한 사람. [출판계의 스티브 잡스]

★ 20,000명 심리 상담, 코칭을 통해 대한민국 극단적인 선택률, 이혼율을 낮추고 행복률을 올리기 위해 방탄자기계발사관학교를 만든 사람.
www.방탄자기계발사관학교.com

★ 20,000 / 7G / 2,000 / 7,000 / 100 / 50 / 6,000 / 45 / 320 / 15 숫자가 말해주는 사람!
20,000명 심리 상담, 코칭.
7G 직업(출판사 대표, 작가, 심리 상담사, 코칭 전문가, 강사, 유튜버, 한집의 가장)
2,000권 독서. 7,000개 메모. 자기계발서 100권 출간.
100권 출간한 책으로 온라인 콘텐츠, 디지털 콘텐츠 제작하여 50층 온라인 건물주. 강의 6,000회.
45년간 습관 320가지 만듦. 강사 15년 차.

★ 최보규상(대한민국 노벨상)을 만든 사람.
최보규를 알고 있는 사람들에게 나다운 행복을 만들어 주기 위해 올바른 노력을 하는 사람.

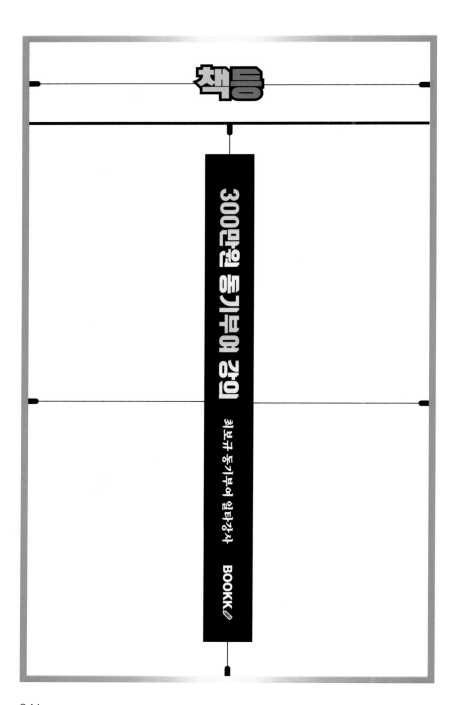

책등

300만원 동기부여 강의

최보규 동기부여 일타강사

BOOKK

책 뒷면 표지

세상에는 3부류에
동기부여를 배우는 사람이 있다!

동포자(동기부여 포기자)
수많은 동기부여 영상, 글... 등을 봤지만 전혀 동기부여가 되지 않아 동기부여를 포기한 사람.

동포 예정자
수많은 동기부여 독서, 자격증, 교육, 코칭을 받지만 그때뿐이고 시간, 돈 낭비만 하는 사람.

동케시(동기부여 케어 시스템)
동기부여를 시스템 안에서 동기부여 주치의에게 150년 a/s, 피드백, 관리 받으면서 자신 분야 변화, 성장을 초고속으로 준비 하는 사람.

방탄
동기부여

NAVER 방탄동기부여

책 뒷면 날개 표지

★★★★
1
ONLY ONE

"80억 분의 1 검증된 전문가"

"세계 최초"
동기부여 초고속 충전!

해보자! 해보자!
자신 가능성을 믿고!

해보자!
해보자!

자신의
사과 씨, 도토리, 포도 씨 믿으세요!

사과 씨 안에 얼마나 많은 사과가 있는지 모른다!
도토리 안에 얼마나 많은 도토리가 있는지 모른다!
포도 씨 안에 얼마나 많은 포도가 있는지 모른다!

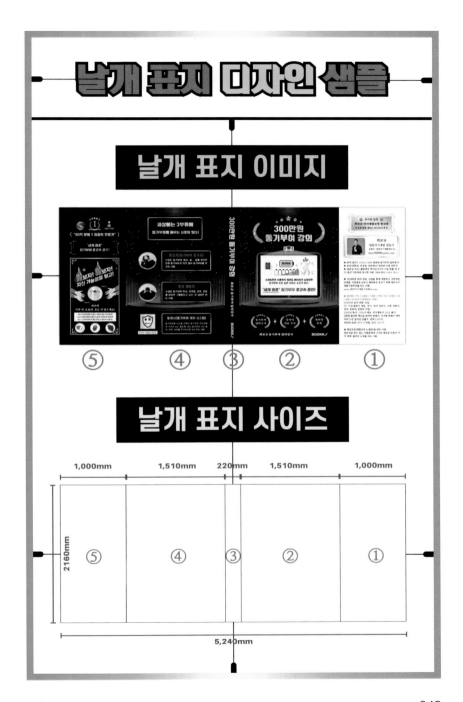

책 앞면 날개 표지 디자인 설명

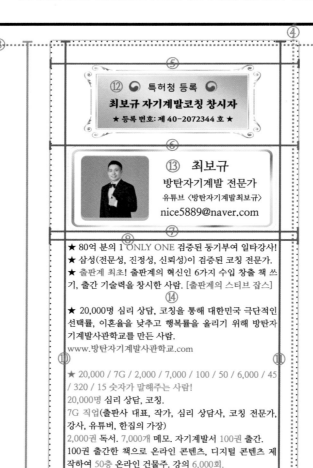

⑫ ◯ 특허청 등록 ◯
최보규 자기계발코칭 창시자
★ 등록 번호: 제 40-2072344 호 ★

⑬ 최보규
방탄자기계발 전문가
유튜브 〈방탄자기계발최보규〉
nice5889@naver.com

★ 80억 분의 1 ONLY ONE 검증된 동기부여 일타강사!
★ 삼성(전문성, 진정성, 신뢰성)이 검증된 코칭 전문가.
★ 출판계 최초! 출판계의 혁신인 6가지 수입 창출 책 쓰기, 출간 기술력을 창시한 사람. [출판계의 스티브 잡스]

★ 20,000명 심리 상담, 코칭을 통해 대한민국 극단적인 선택률, 이혼율을 낮추고 행복률을 올리기 위해 방탄자기계발사관학교를 만든 사람.
www.방탄자기계발사관학교.com

★ 20,000 / 7G / 2,000 / 7,000 / 100 / 50 / 6,000 / 45 / 320 / 15 숫자가 말해주는 사람!
20,000명 심리 상담, 코칭.
7G 직업(출판사 대표, 작가, 심리 상담사, 코칭 전문가, 강사, 유튜버, 한집의 가장)
2,000권 독서. 7,000개 메모. 자기계발서 100권 출간.
100권 출간한 책으로 온라인 콘텐츠, 디지털 콘텐츠 제작하여 50층 온라인 건물주. 강의 6,000회.
45년간 습관 320가지 만듦. 강사 15년 차.

★ 최보규상(대한민국 노벨상)을 만든 사람.
최보규를 알고 있는 사람들에게 나다운 행복을 만들어주기 위해 올바른 노력을 하는 사람.

1) 책 앞면 날개 표지 디자인 설명

① 책날개 기본 A5 사이즈 - 세로 216mm
② 책날개 - 가로 100mm
③ 인쇄 할 때 위, 아래 절단선 - 3mm
④ 인쇄 할 때 절단선 - 3mm
⑤ 위에서부터 - 10mm
⑥ 위에서부터 - 44mm
⑦ 위에서부터 - 80mm
⑧ 위에서부터 - 84mm
⑨ 아래에서부터 - 10mm
⑩ 왼쪽에서부터 - 7mm
⑪ 오른쪽에서부터 - 9mm
⑫ 저자, 책이 검증되어 법의 보호를 받고 있다는 것을 증명하는 디자인. (자신이 가지고 있는 타이틀 중에 강력하게 어필할 수 있는 내용이면 좋다.)
⑬ 저자 사진, 이름, 전문 분야 타이틀, 유튜브, 메일... 등. (자신과 직접적으로 소통할 수 있는 타이틀)
⑭ 저자 소개, 책의 가치, 내공, 값어치를 어필할 수 있는 소개 글.

③

⑫ **300만원 동기부여 강의**

⑤

⑧ 동기부여

UP

스마트폰은 사용하지 않아도 배터리가 소모되듯 동기부여 또한 숨만 쉬어도 소모가 된다.

"세계 최초" 동기부여 초고속 충전!

①
②
⑬
⑥

⑭
⑨ 동기부여 일타강사
강사야 대표 강사
특허청 등록

⑩ 최보규 동기부여 일타강사
⑦
⑪ BOOKK✐

④

2) 책 앞면 표지 디자인 설명
- 책 앞면 표지 너비 1540PX * 높이 2160PX
(부크크출판사 A5 규격 148+6(제단 선) * 210+6(제단
선)= 너비 154mm * 높이 216mm)

#. 효율적인 표지 날개, 표지 작업과 전자책(PDF) 표지
작업을 위해 너비, 높이를 픽셀(PX)로 작업했다. 픽셀이
아닌 mm로 작업해도 된다.
#. Pixrl(픽셀): 유튜브 썸네일, 상세페이지, 커뮤니티 게
시판 등.
#. mm또는 cm: 명함, 라벨, 액자, 머그컵, 현수막 등.

①번, ②번: 핵심 디자인을 가운데 배치했을 때 좌, 우
여택을 주어 안정적인 시각적 효과를 주기 위한 기본
좌, 우 100PX이다. (디자이너마다 다르니 참고)

③번: 위에서부터 150PX (책의 가장 위쪽과 시작하는
디자인과의 안정적인 시각적 효과를 주기 위한 여유 공
간)

④번: 위에서부터 120PX (책의 가장 밑쪽과 저자, 출판
사 로고와의 안정적인 시각적 효과를 주기 위한 여유
공간)

⑤번: 위에서부터 520PX (책 제목과 제목의 디자인을 안정적인 시각적 효과를 주기 위한 위치)

⑥번: 밑에서부터 440PX (책의 가치를 어필하기 하고 디자인을 안정적인 시각적 효과를 주기 위한 위치)

⑦번: 밑에서부터 215PX (책의 가치를 어필하기 하고 디자인을 안정적인 시각적 효과를 주기 위한 위치)

⑧번: 핵심 존. 책 표지 디자인에서 주인공이라고 느낄 수 있게 디자인을 해줘야 하는 곳이다. 《300만원 동기부여 강의》 책 제목에서 가장 중요한 콘셉트 디자인이 무엇일 거 같은가? '300만 원? 동기부여? 강의?' 이 3가지를 다 어필할 수 있는 디자인이면 좋다. 그 중에서도 핵심 디자인 콘셉트는 강의다.

강의 콘셉트를 상징하고 어필할 수 있는 빔 프로젝터와 스크린을 활용하여 책을 볼 수 있는 궁금증 유발, 호기심 유발을 할 수 있는 핵심 디자인과 핵심 문구를 만들어야 한다. "기존에 알고 있는 동기부여 책과 차원이 다를 거 같다. 무조건 책 읽어 봐야겠다."라는 느낌이 들 수 있는 핵심 디자인을 해야 한다. 《300만원 동기부여 강의》이 책에 모든 것이 압축되어 알 수 있는 곳이고 주인공이기에 가장 신경을 써야 한다.

#. 화장으로 비유를 하면 외출할 때 하는 가벼운 화장 기법이 아닌 웨딩 촬영할 때 화장하는 풀메이크업을 해야 된다.

⑨번: **책의 가치, 내공, 값어치를 어필하기 위한 디자인이다.** 《300만원 동기부여 강의》 책의 가치, 내공, 값어치가 간접적으로 어필이 되어야 한다. 직접적으로 어필은 책 소개에서 하면 된다.

#. 책의 가치, 내공, 값어치를 어필하는 다른 예시를 참고하자. 동기부여 사용설명서, 직장인 필독 도서, 리더 필독 도서, 동기부여 지침서, 자기계발 지침서, 동기부여 바이블... 등

종이책 표지 디자인 설명

⑩번: 저자 이름. 저자 이름 보다 저자가 어떤 전문가 인지를 알리는 명칭을 쓰면 더 효과적이다.

⑪번: 출판사 로고. 부크크 홈페이지에서 '자주 묻는 질문'으로 들어가면 도서를 클릭하면 로고 파일 다운로드가 있다.

⑫번: 책 제목. ⑧번 핵심 존 디자인 좌우 사이즈를 경계로 제목을 디자인한다. 핵심 존 디자인 다음으로 잘 **보여야 할 것이 제목 디자인이다.** 제목이 주인공일 거 같지만 표지 전체적인 디자인에서 핵심 디자인 어필이 되어야만 제목이 가지고 있는 뜻의 의미가 극대화 된다. (핵심 존 좌우 간격 260PX, 디자인마다 가격이 다를 수 있다.)

한번 생각해 보자. 제목이 화려한데 핵심 디자인이 제목을 받쳐주지 못하면 책 제목의 화려함은 장점이 아닌 단점이 되어 버린다. 지금 시대 평균적인 사람들의 시각적인 심리를 잘 읽어야 한다. 하루가 멀다 하고 대중매체, 유튜브, 인스타그램, SNS 등으로 인해서 어마어마하게 화려한 영상, 이미지를 보고 있다. 수준이 높아진 시각적인 심리 상황에서 일단 디자인이 화려하지 않으면 어필이 되지 않는다는 것이다. 다음으로 나오는 《300만 원 동기부여 강의》 책 표지의 화려하지 않는 책 표지 버전과 화려한 책 표지 버전 비교한 것을 보면 좀 더 이해가 될 것이다.

표지 비교

⑬번: 배경 이미지.《300만원 동기부여 강의》책은 강사가 강의하는 콘셉트이기에 강단을 화려하면서도 은은한 무대 사진으로 디자인했다. 배경 이미지가 화려해버리면 주인공이 죽는다. 배경 이미지는 제목 다음으로 조연배우다.

⑭번: 바탕색. 배경 이미지와 어우릴 수 있는 검정색으로 했다.

책등 표지 디자인 설명

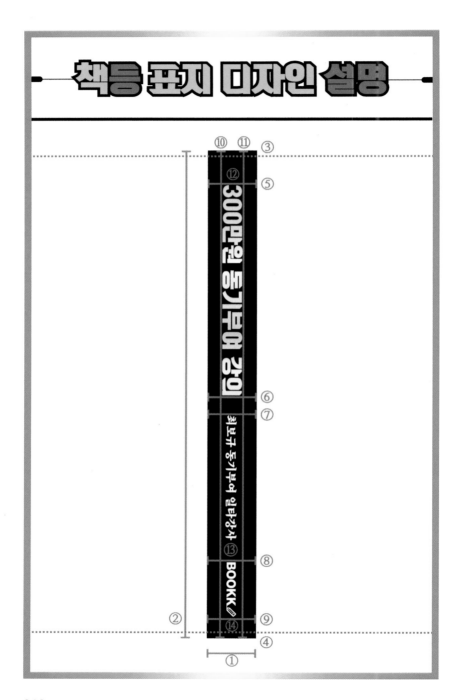

③ ⑩ ⑪
⑫
⑤
300만원 동기부여 강의
⑥
⑦
최보규 동기부여 일타강사
⑬
⑧
BOOKK
⑨
⑭
④
②
①

3) 책등 표지 디자인 설명

① 책등 가로 사이즈는 책 페이지에 따라 다르다.

부크크출판사 종이책 만들기 1단계에 있는 도서 형태에서 장수를 입력하면 두께가 자동으로 설정된다.

예)100P = 7.8mm

《300만원 동기부여 강의》책은 354P다.

354P = 21.07mm / 22mm로 한다.

#. 예시) 23.13mm 이면 소수점 뒷자리는 올림으로 24mm 로 디자인.

초고 → 원고 → 퇴고 → 탈고가 끝나면 최종 책 페이지가 나온다. 페이지 숫자를 입력하면 자동으로 책 두께가 계산 되어서 알 수 있다.

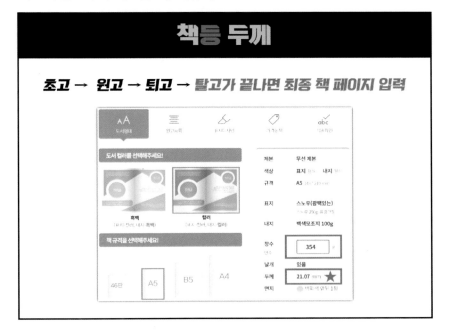

책등 표지 디자인 설명

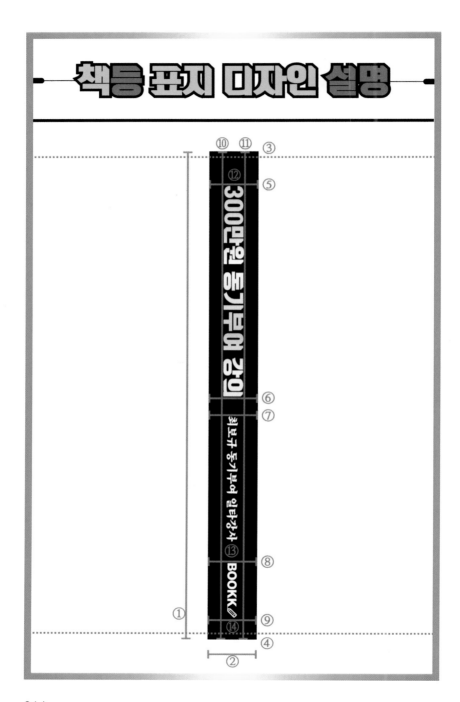

300만원 동기부여 강의

최보규 동기부여 일타강사

BOOKK

② 책 등 A5 사이즈 – 세로 216mm

③ 인쇄할 때 위 절단선 – 3mm

④ 인쇄할 때 아래 절단선 – 3mm

⑤ 위에서부터 – 14mm

⑥ 위에서부터 – 107mm

⑦ 아래에서부터 – 100mm

⑧ 아래에서부터 – 34mm

⑨ 아래에서부터 – 10mm

⑩ 왼쪽에서부터 – 7mm

⑪ 오른쪽에서부터 – 7mm

⑫ 제목

⑬ 저자

⑭ 출판사 로고

책 뒷면 표지 디자인 설명

③

⑬ **세상에는 3부류에**
동기부여를 배우는 사람이 있다!

④

⑫ ⑪

⑤

⑭ **동포자(동기부여 포기자)**
수많은 동기부여 영상, 글... 등을 봤지만 전혀 동기부여가 되지 않아 동기부여를 포기한 사람.

⑥

① ②

⑮ **동포 예정자**
수많은 동기부여 독서, 자격증, 교육, 코칭을 받지만 그때뿐이고 시간, 돈 낭비만 하는 사람.

⑦

⑨

방탄
동기부여

NAVER 방탄동기부여

⑯ **동케시(동기부여 케어 시스템)**
동기부여를 시스템 안에서 동기부여 주치의에게 150년 a/s, 피드백, 관리 받으면서 자신 분야 변화, 성장을 초고속으로 준비 하는 사람.

⑩

4) 책 뒷면 표지 디자인 설명

- 부크크출판사 A5 규격 너비 154mm * 높이 216mm 위, 아래 점선은 인쇄할 때 제단 선이다.

①번, ②번: 핵심 디자인을 가운데 배치했을 때 좌, 우 여택을 주어 안정적인 시각적 효과를 주기 위한 기본 좌, 우 18mm이다. (디자이너마다 다르니 참고)

③ 위에서부터 - 15mm

④ 위에서부터 - 52mm

⑤ 위에서부터 - 66mm

⑥ 위에서부터 - 101mm

⑦ 아래에서부터 - 100mm

⑧ 아래에서부터 - 65mm

⑨ 아래에서부터 - 50mm

⑩ 아래에서부터 - 15mm

⑪ 왼쪽에서부터 - 50mm

⑫ 왼쪽에서부터 - 53mm

⑬ 뒷면 표지의 핵심 문구 - 세상에는 3부류에 동기부여를 배우는 사람이 있다. (20,000명 심리 상담, 코칭하면서 알게 된 데이터)

⑭ 뒷면 표지의 핵심 문구 동포자 설명 - 동포자(동기부여 포기자): 수많은 동기부여 영상, 글... 등을 봤지만 전혀 동기부여가 되지 않아 동기부여를 포기한 사람.

⑮ 뒷면 표지의 핵심 문구 동포 예정자 설명 - 동포 예

정자: 수많은 동기부여 독서, 자격증, 교육, 코칭을 받았지만 그때뿐이고 시간, 돈 낭비만 하는 사람.

⑯ 뒷면 표지의 핵심 문구 동케시 설명 – 동케시(동기부여 케어 시스템): 동기부여를 시스템 안에서 동기부여 주치의에게 150년 a/s, 피드백, 관리 받으면서 자신 분야 변화, 성장을 초고속으로 준비하는 사람.

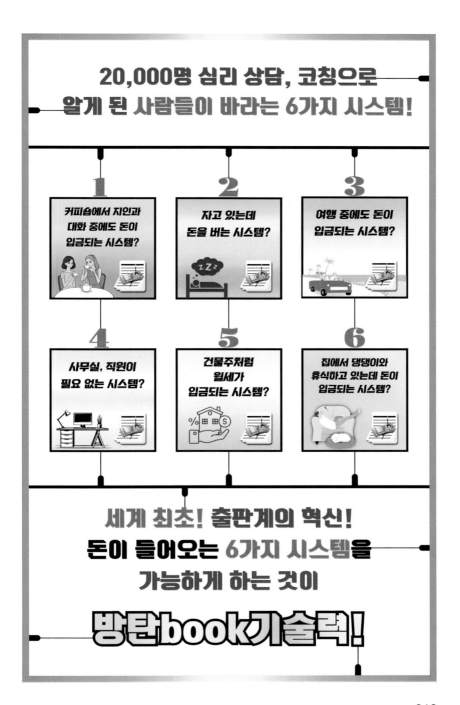

369

5) 책 뒷면 날개 표지 디자인 설명

① 책날개 기본 A5 사이즈 - 세로 216mm

② 책날개 - 가로 100mm

③ 인쇄할 때 위, 아래 절단선 - 3mm

④ 인쇄할 때 절단선 - 3mm

⑤ 위에서부터 - 15mm

⑥ 위에서부터 - 46mm

⑦ 위에서부터 - 52mm

⑧ 위에서부터 - 75mm

⑨ 위에서부터 - 79mm

⑩ 아래에서부터 - 15mm

⑪ 왼쪽에서부터 - 16mm

⑫ 오른쪽에서부터 - 10mm

⑬ 기억에 남을 강력한 디자인 - "80억 분의 1 검증된 전문가" (세계에서 방탄동기부여를 할 수 있는 사람은 한 명 뿐이다.)

⑭ 차별화가 아닌 초월 - 4차 산업 시대는 4차 동기부여인 방탄동기부여로 일반 충전이 아닌 초고속 충전!

⑮ 책 뒷면 날개 표지 핵심 디자인 존 - 자신의 무한한 가능성을 끌어올려주는 방탄동기부여! 자신의 사과 씨, 도토리, 포토 씨 믿으세요! 사과 씨 안에 얼마나 많은 사과가 있는지 모른다!

도토리 안에 얼마나 많은 도토리가 있는지 모른다!

포도 씨 안에 얼마나 많은 포도가 있는지 모른다!

자신을 믿지 못하겠다면 자신을 믿어주는 최보규 방탄 동기부여 창시자를 믿고 시작합시다.

시간, 경력만 채우는 노오력이 아닌 어제보다 나음, 변화, 성장, 배움으로 수입을 극대화시켜 결과를 만들어내는 올바른 노력을 해야 한다. 올바른 노력이 방탄동기부여다.

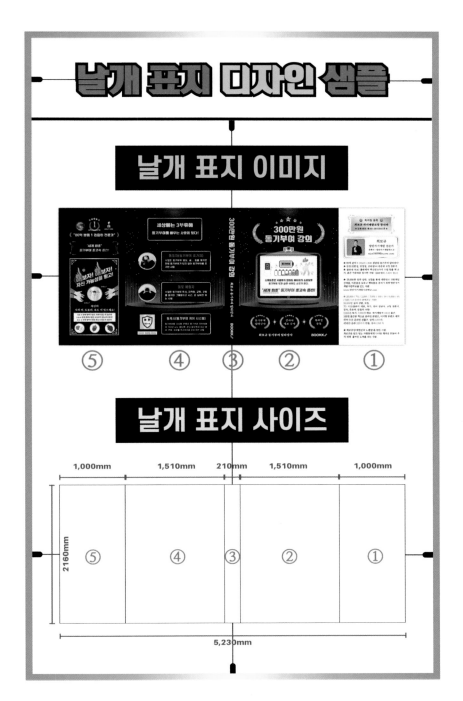

날개 표지 디자인 샘플

날개 표지 이미지

출간한 책 이미지

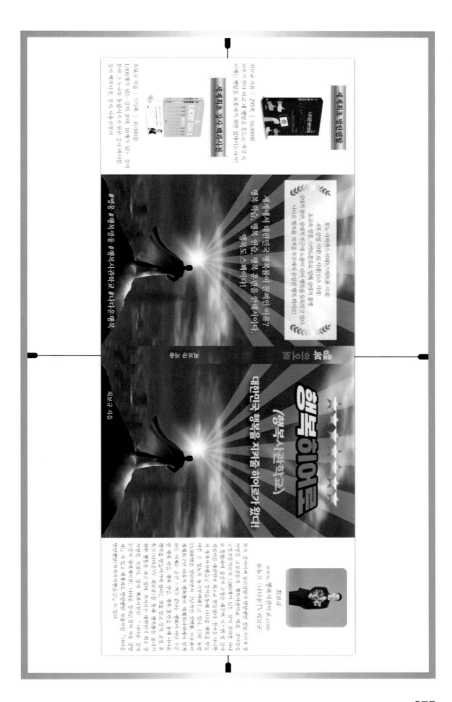

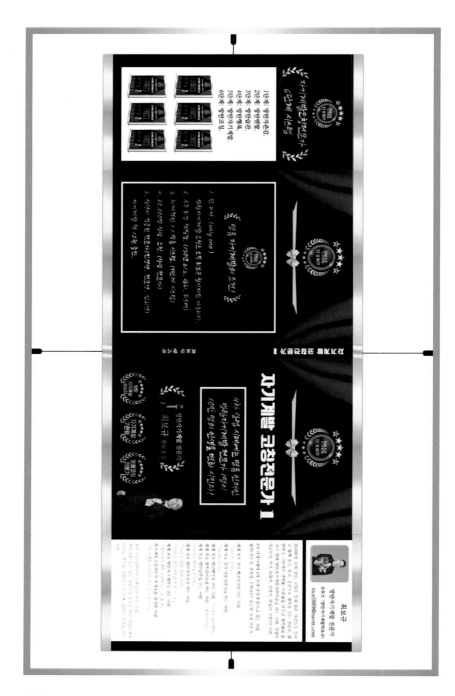

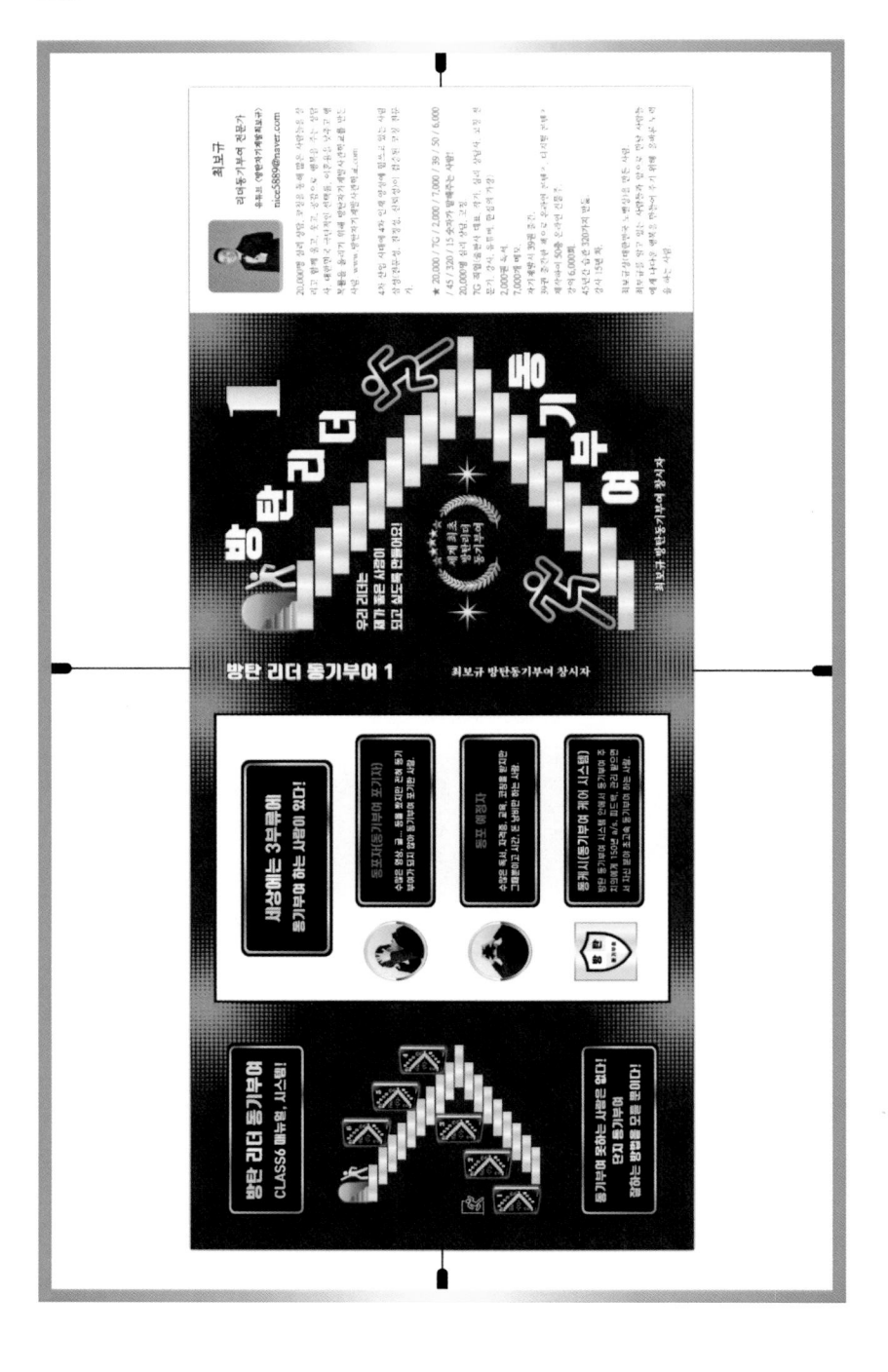

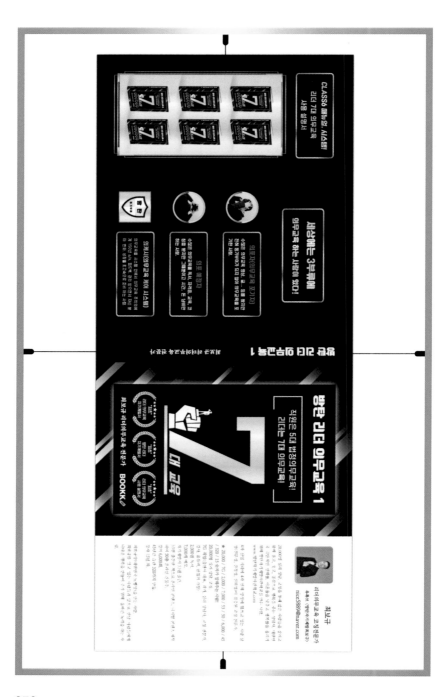

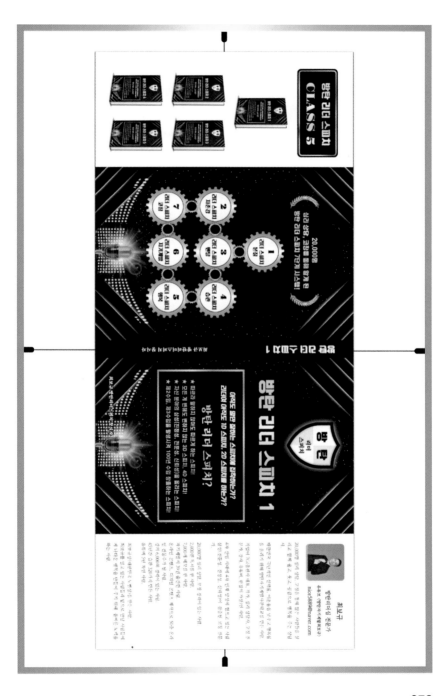

379

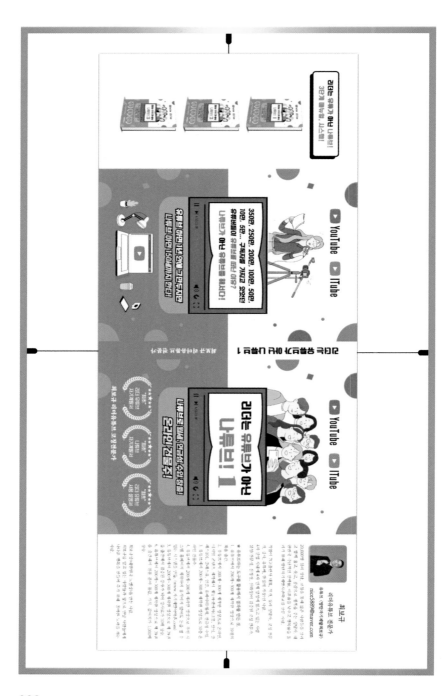

380

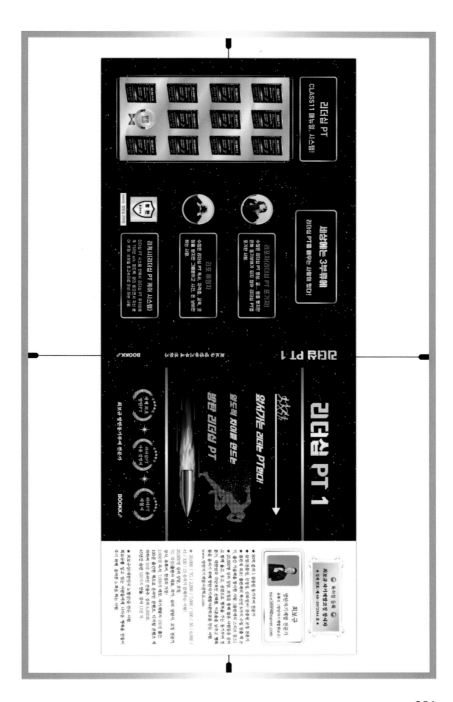

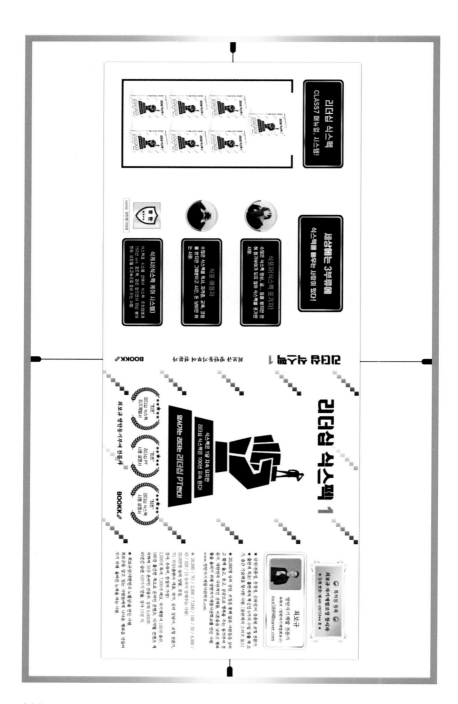

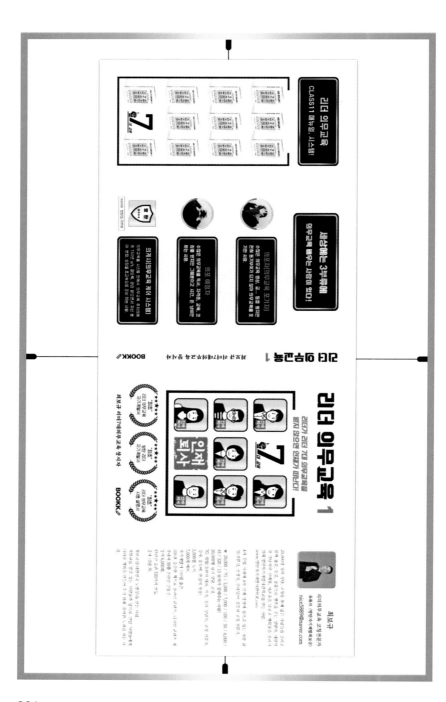

날개 표지 디자인 샘플

날개 표지 이미지

 ⑤   ④   ③   ②   ①

출간한 책 이미지

날개 표지 디자인 설명과 날개 표지 디자인 제작했던 샘플을 보니 어떤 생각이 드는가?

20,000명 심리 상담, 코칭 하면서 쌓인 내공과 종이책 150권, 전자책 250권 총 400권 출간했던 내공으로 당신이 지금 어떤 생각이 들었고 어떤 궁금증이 생기는지 맞혀 보겠다.

"앞에서 늘 강조했던 마우(마우스만 움직일 줄 아는 우주 초보) 실력으로 책 앞면 표지, 책 3D 입체 표지, 책 날개 표지까지 가능하다고? 믿어지지가 않은데? 진짜 마우 실력으로 가능하다면 이건 대박이다. 방탄book기술력은 무조건 배워야 되고 코칭 받고 싶다. 어떤 책 보다 디테일하고 정성스러운 설명들을 보니 최보규 방탄 book 코칭전문가님의 삼성(진정성, 전문성, 신뢰성)과 종이책 150권, 전자책 250권 총 400권 출간했던 내공이 느껴진다. 혼자서도 할 수 있는 설명인데... 아무리 쉬운 설명이라도 혼자 하기가 쉽지 않을 거 같은데..."

단언컨대 책 쓰기, 책 출간 그 어떤 책도 이렇게까지 디테일하고 쉽게 따라 할 수 있게 설명을 해놓은 책이 없다. 그래서 이 책 보는 사람이라면 천재일우(천 년에 한 번 만난다는 뜻으로 좀처럼 만나기 어려운 기회) 온 것이니 조상에서 감사하고 "내가 인생을 지금까지 잘 살아서 이런 기회가 오는구나."라는 마음으로 제대로 배우길 바란다.

아무리 쉬운 것도 처음 시도하는 것은 우주에서 가장 어려운 것이다. 사용 설명서만 들어도 척척척 하는 사람은 극히 드물다. 대부분 사람들은 하는 방법을 직접 설명을 들어야만 제대로 한다는 것이다.

시간, 돈 낭비를 줄이는 최고의 방법은 한번 배울 때 검증된 전문가에게 제대로 배우는 것이다.

★★★★★
방탄자기계발사관학교
홈페이지 무인시스템

방탄자기계발사관학교 ✹

아무나 방탄자기계발전문가가 될 수 있었다면 난
절대로 방탄자기계발사관학교를 선택하지 않았을
것이다.

| Google 자기계발아마존 | ▶ YouTube 방탄자기계발 | NAVER 방탄자기계발사관학교 | NAVER 최보규 |

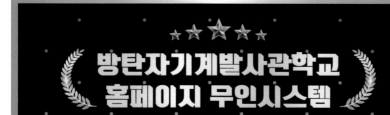

방탄자기계발사관학교 홈페이지 무인시스템

방탄자기계발사관학교 소개
1,000,000원

구매하기

PPT로 책 쓰기, 책 출간
200,000원

구매하기

자신 분야 6가지 수입을 창출 방법
200,000원

구매하기

방탄 사랑 사랑 사용 설명서 사랑도 스펙이다
200,000원

구매하기

◆ 참고문헌, 출처

《PPT로 책 출간 1》 최보규, 부크크, 2024

《당신에게 부크크출판사는 천재일우다! 0》

《당신에게 유페이퍼출판사는 천재일우다! 1》

《당신에게 망고보드는 천재일우다! 2》

〈부크크(bookk)출판사〉

《감정 경제학》 조원경, 페이지2북스, 2023

《300만원 동기부여 강의》 최보규, 부크크, 2023

〈교보문고〉

〈네이버 블로그 카루의 프리랜서 라이프〉

〈유페이퍼〉

〈브론치 라운드에 지혜, 구선생〉

《강의력》 최재웅, 메가스터디북스, 2013

《리더의 방탄 인간관계 7》 최보규, 부크크, 2023

《리더십 PT 1》 최보규, 부크크, 2023

《나다운 방탄습관블록》 최보규, 부크크, 2021

《방탄 리더 동기부여 1》 최보규, 부크크, 2023

방탄리더사관학교 3
(방탄 리더 인재 양성 사관학교)

발 행 | 2024년 04월 25일
저 자 | 최보규, 서윤희
편 집 | 최보규, 서윤희
디자인 | 최보규, 서윤희
마케팅 | 최보규
펴낸이 | 한건희
펴낸곳 | 주식회사 부크크
출판사등록 | 2014.07.15.(제2014-16호)
주 소 | 서울특별시 금천구 가산디지털1로 119 SK트윈타워 A동 305호
전 화 | 1670-8316
이메일 | info@bookk.co.kr

ISBN | 979-11-410-8149-2